A. J. Russell (org.)

FALE COM DEUS 2

Apelos de Deus ao Anoitecer

Tradução:
EUCLIDES LUIZ CALLONI
CLEUSA MARGÔ WOSGRAU

Editora Pensamento
SÃO PAULO

Título original: *God Calling 2*.
Copyright © 2009 A. J. Russell.
Publicado originalmente no Reino Unido por John Hunt Publishing Ltd.
Publicado mediante acordo com a John Hunt Publishing Ltd.
Copyright da edição brasileira © 2013 Editora Pensamento-Cultrix Ltda.
Texto de acordo com as novas regras ortográficas da língua portuguesa.
1ª edição 2013.
Todos os direitos reservados. Nenhuma parte deste livro pode ser reproduzida ou usada de qualquer forma ou por qualquer meio, eletrônico ou mecânico, inclusive fotocópias, gravações ou sistema de armazenamento em banco de dados, sem permissão por escrito, exceto nos casos de trechos curtos citados em resenhas críticas ou artigos de revista.
A Editora Pensamento não se responsabiliza por eventuais mudanças ocorridas nos endereços convencionais ou eletrônicos citados neste livro.

Editor: Adilson Silva Ramachandra
Editora de texto: Denise de C. Rocha Delela
Coordenação editorial: Roseli de S. Ferraz
Produção editorial: Indiara Faria Kayo
Assistente de produção editorial: Estela A. Minas
Editoração eletrônica: Fama Editora
Revisão: Nilza Agua

CIP-BRASIL. CATALOGAÇÃO NA PUBLICAÇÃO
SINDICATO NACIONAL DOS EDITORES DE LIVROS, RJ

F176

Fale com Deus 2 : apelos de Deus ao anoitecer / organizador A. J. Russell ; tradução Euclides Luiz Calloni, Cleusa Margô Wosgrau. — 1. ed. — São Paulo : Pensamento, 2013.
232 p. ; 15 cm.

Tradução de: God Calling 2.
ISBN 978-85-315-1848-5
1. Religião. 2. Deus. 3. Meditação. 4. Vida cristã. I. Título.

13-04972

CDD: 248.4
CDU: 27-584

Direitos de tradução para a língua portuguesa
adquiridos com exclusividade pela
EDITORA PENSAMENTO-CULTRIX LTDA., que se reserva a
propriedade literária desta tradução.
Rua Dr. Mário Vicente, 368 — 04270-000 — São Paulo — SP
Fone: (11) 2066-9000 — Fax: (11) 2066-9008
http://www.editorapensamento.com.br
E-mail: atendimento@editorapensamento.com.br
Foi feito o depósito legal.

Lei da Oferta

Quando parece que nada mais há a oferecer,
Deves saber que isso não é verdade.
Olha à tua volta e vê
O que podes dar. Dá alguma coisa.

— As Duas Ouvintes.

FICA COMIGO

Fica comigo; rápida chega a noite,
A escuridão aumenta; Senhor, fica comigo;
Quando outros pouco ajudam, e não encontro consolo,
Fica comigo, ó auxílio dos desamparados.

Preciso da Tua Presença a todo instante;
Somente Tua graça pode vencer o poder do tentador.
Somente Tu podes ser meu guia e esteio.
Haja sol, haja chuva, Senhor, fica comigo.

A. & M. 27

POR QUE FALE COM DEUS 2?

DURANTE os vários anos decorridos desde a publicação de *Fale com Deus*, novas Mensagens foram recebidas.

Com o objetivo de atender aos muitos pedidos de um volume complementar e de comemorar o exemplar de número 212.000 da edição inglesa de *Fale com Deus*, lançamos este novo livro, produzido nos mesmos moldes daquele.

À semelhança de *Fale com Deus,* este livro também não pretende lançar novas luzes sobre verdades antigas. Fazemos votos de que esta publicação mostre mais claramente aos leitores o que Cristo pode se tornar para os que procuram conhecê-Lo e viver com Ele.

Sabemos muito bem que *Fale com Deus* cumpriu essa função junto a um grande número de pessoas; milhares delas escreveram dando seu depoimento nesse sentido.

Para todas essas pessoas, as Mensagens foram consolo na tristeza, esperança no desespero e fonte de coragem e ânimo ainda maior nos dias sombrios da vida. Elas se alegraram com os que se alegravam, especialmente com os que amavam e riam, e que ao mesmo tempo as aconselhavam a seguir-lhes o exemplo.

Pelo destaque dado aos ensinamentos simples de Cristo e ao Seu apelo para o crescimento e a evolução espiritual, as Mensagens foram fonte inesgotável de inspiração para milhares de leitores em direção a um esforço renovado através de uma fé e confiança inabaláveis.

Como consequência, a pergunta sempre se repete: "Embora eu leia as Mensagens há anos, por que elas sempre parecem novas?"

Esta é a resposta: As Mensagens preservam a história que é antiga e sempre nova, mas elas *não* são novas; só o leitor é NOVO; ano após ano ele se torna a Nova Criatura em Cristo Jesus recomendada pelo Novo Testamento.

É natural que seja assim. Poderá alguém ler estas Mensagens cada dia, esforçar-se para corresponder aos seus estímulos incessantes, e não se renovar, ou não sentir uma alegria interior antes desconhecida, a alegria radiante do Senhor?

Que milhares de pessoas mais possam viver essas experiências através das Mensagens e da *Mensagem de Deus ao Anoitecer*.

Essa Mensagem faz novamente a antiquíssima pergunta e recebe a mesma resposta, sempre definitiva:

"A quem iremos, Senhor? Tens palavras de vida eterna."

"Aprendei de mim, porque sou manso e humilde de coração, e encontrareis descanso para vossas almas."

*"Deixa-me ouvir-Te falar
Em tons claros e calmos,
Acima do ímpeto da paixão,
Os sussurros da obstinação."*

*"Ah, fala para tranquilizar-me,
Apressar-me ou controlar-me;
Ah, fala, e faze-me ouvir,
Tu, Guardião da minha alma!"*

JANEIRO

Tudo Está Preparado   1º de janeiro

A TI que lês ou ouves estas mensagens, Eu digo: Tudo está preparado.

O mundo está esperando a Minha Mensagem de Amor, de Esperança e de Alegria. A própria inquietude do espírito é sinal disso; o abandono da casca da religião é sinal disso.

Palavras vazias e promessas de uma vida melhor no além não tranquilizam mais o homem. Ele precisa *conhecer* a Mim antes de pretender viver na Eternidade Comigo. Ele precisa Me conhecer em meio à tempestade, momento em que necessita de força e descanso.

O homem esteve dormindo; agora despertou, com um choque. Por isso, ele precisa Me encontrar, Me provocar, ou então render-se à negação ou à indiferença.

Razão e lógica pouco ajudam. O homem só pode ser ajudado pelo exemplo de vida dos Meus seguidores: vendo-os em paz, alegres, imperturbáveis num mundo de tribulações, de decepções e de desconfianças.

Negar-Me hoje não é dizer, "Não conheço o homem". O mundo é indiferente ao fato de Me *confessares* ou não. Será equívoco teu não Me refletir em tua vida como Eu sou — Alguém que vivifica, sustenta, renova o espírito, Alguém que é teu Tudo.

Tuas Resoluções — 2 de janeiro

É na união Comigo que recebes força para cumprir tuas boas resoluções.

O contato Comigo infunde energia à missão que Eu quero que realizes, a missão para a qual sei que és mais indicado e que somente tu podes cumprir, e cumprir bem.

É no contato Comigo que recebes a Graça que só Eu posso dar, a Graça que te capacita a servir amavelmente àqueles a quem Eu te envio e àqueles que trago a ti.

Mesmo entre as distrações e os inúmeros interesses do mundo — vive na Minha Presença; entretanto, recolhe-te diariamente em ti mesmo para ficar *sozinho* Comigo.

Necessidade Mútua — 3 de janeiro

Permanece em Mim para que eu permaneça em ti.

DURANTE este ano, apoia-te firmemente nesta Verdade maravilhosa. *Tu* precisas permanecer em Mim para participar da vida do Espírito do Universo, do seu poder criador e da sua energia. Desse modo, és uma parte do todo de Deus.

Mas *Eu* preciso permanecer em ti, pois só assim posso expressar Meu Amor, Meu Poder e Minha Verdade através de ti, traduzindo-os em ação, expressão e palavra.

Nessas Minhas palavras tens Minha dupla natureza.

O Protetor Forte! Aquele que te defende e te oferece, como Meu convidado, tudo o que necessitas.

E Me tens também em Minha Humildade, um contigo, teu Amigo íntimo, morando em ti e dependente de ti. Pensa em tudo isso.

Tua Missão   **4 de janeiro**

NESTA hora do anoitecer, Eu Me aproximo de ti — e te escuto. Fala-Me da Paz que conheces em Mim; da terna confiança em Mim que trouxe Paz e Segurança para tua vida.

Amanhã retornarás ao mundo com a Minha mensagem de Vida Eterna. Verdades que estás apenas começando a entender, que te trazem Visão e Alegria; Verdades que passarás a outros, para que possam ser salvos e para que tu possas recuperar os anos perdidos deixados para trás. Dirige-te a eles como te dirigirias a alguém que te segue por uma estrada perigosa, prevenindo-os contra as ciladas do caminho.

Mostra-lhes as belezas do *Caminho*, as colinas iluminadas à frente, o esplendor do pôr do sol, os regatos e as flores das Minhas plácidas clareiras.

Depois reorienta para Mim, teu Companheiro no Caminho, a atenção que eles mantêm nos encantos ou miragens da terra. Fala-lhes da Alegria que tens em Mim. Essa é a missão que recebes do Alto.

A Hora da Cura 5 de janeiro

ATÉ agora só consegues ver vagamente o que este momento do anoitecer te reserva.

Por alguns instantes te livras dos cuidados e preocupações da terra e conheces o enlevo da alma que a Comunhão Comigo propicia.

Tu te renovas e essa renovação te protege da desintegração mental e espiritual.

Nesse breve tempo em contato Comigo vives parte da Minha Ressurreição. É o Cristo glorificado que conheces, e conhecê-Lo é participar da Sua Vida Ressuscitada.

Assim, tanto a saúde física como a saúde mental e a saúde espiritual chegam a ti e manam de ti.

Terra da Promissão 6 de janeiro

IMAGINA a Esperança do Meu Coração naquele dia na encosta da colina quando Eu disse aos meus seguidores que não os conduzia a um trono terreno; formas e negações antigas que tiveram sentido no passado deviam ser suprimidas, substituídas por novos motivos e aspirações.

O homem seria julgado pelas intenções do seu coração. A oração seria como um filho dirigindo-se ao pai. O amor devia ser o fundamento, a Regra de Ouro. Diferenças tribais, e mesmo raciais, deviam ser ignoradas e os pedidos de toda a grande família de Deus deviam ser atendidos.

Eu os conduzi a alturas que nunca haviam alcançado antes, às Verdades mais elevadas que acreditavam ser inalcançáveis.

Quantas esperanças Eu nutri a respeito deles quando sua admiração se transformou em Visão e eles responderam à Minha Mensagem.

Quantas esperanças Eu tenho hoje a respeito de cada um de vocês, Meus seguidores, quando têm um relance da vossa Terra da Promissão além do horizonte.

Luz Purificadora   7 de janeiro

Eu sou a Verdadeira Luz que vem ao mundo, mas os homens preferem as trevas à luz, porque as suas obras são más.

NA VERDADE, nem todos os homens desejam a Minha Luz. Nem todos apreciam o seu resplendor.

Muitos se retraem quando ela aparece, preferindo a escuridão que esconde suas ações à Luz implacável que pode revelar o mal de que se envergonham.

Pede Luz, alegra-te por tê-la, acolhe sua manifestação, e assim, quando ela tiver realizado seu trabalho de busca e limpeza em tua vida, leva-a com alegria, em triunfo, para um mundo que necessita urgentemente da Luz do Mundo.

Formas de Testemunho   8 de janeiro

RECORRO a ti para que Me tornes conhecido —

Através da tua confiança inabalável em Mim.
Através da tua alegria, incontida pelas dificuldades do caminho.
Através da tua solicitude para com os fracos e os errantes.
Através da tua aceitação do Meu dom de Vida Eterna.
Através da tua evolução Espiritual,
prova da vida interior que só ela pode gerar.

Torna-me cada vez mais conhecido por tua serenidade, pela adesão imperturbável à Verdade.

Torna-me conhecido por Meu Espírito dentro de ti e em torno de ti, por tuas ações e palavras em permanente testemunho do Poder e do Prodígio da Minha Presença.

Assim todos saberão que és Meu discípulo e que aspiras a servir, não ao ego, mas a Mim, o Cristo em ti.

Morada de Amor   9 de janeiro

SILENCIA os desejos terrenos para poder ouvir os Meus Passos. Eles trazem a força de um guerreiro e a impaciência de um Amante.

Palpite o teu coração com o jubiloso "Ele vem". Abandona todo pensamento, menos aquele que se fixa em Mim enquanto entro. Eu trago sossego para a tua alma e conforto para o teu coração. Esquece todo o resto.

Deixa-Me tirar o fardo dos teus ombros, o Meu fardo, que carrego por ti. Nessa quietude descansaremos, enquanto te revigoras.

Morada indigna, crês, para o Rei dos Reis. Mas eu a vejo como tua Morada de Amor, pois foi o Amor que a fez. Venho de portas trancadas, onde o jovem vive sem Mim; onde o velho, recusando-se sempre a responder à Minha batida e ao Meu rogo, já não Me ouve mais, ficando lá sentado em silêncio e solidão.

Conforta-Me, Meu filho. Faze do teu coração uma Morada de Amor para o Homem das Dores, quase sempre desprezado e rejeitado pelos homens. Mas eu posso transformar a tristeza dos homens em alegria.

A Morte do Ego   10 de janeiro

AQUIETA o teu espírito ainda mais na Minha Presença. O ego não morre em consequência do esforço humano nem necessariamente por intermediação da oração suplicante, mas pela consciência da Minha Presença e dos valores do Meu Espírito. Assim, o ego fenece na inexistência, no nada.

É absolutamente necessário morar Comigo, aproximar-se de Mim numa compreensão tão total quanto o homem possa alcançar.

Vês agora a necessidade do treinamento e da disciplina que Eu te impus? Eles são vitais na medida em que sintonizam o teu ser com a consciência da Minha Mente e Propósito. Quando essa Mente que está em Mim está em ti, és capaz de entrar nos pátios externos do Templo e no próprio Santo dos Santos para captar o sentido oculto em tudo o que Eu disse, fiz e fui.

Sacrifica tudo por isso. Teu trabalho precisa ser inspirado. Onde podes encontrar inspiração senão na Minha Presença?

TUAS Boas Novas   11 de janeiro

"COMO são belos, sobre os montes, os pés do mensageiro que proclama boas novas... que anuncia a Paz." Quando estiveres fatigado, pensa que os teus pés são os pés daqueles que proclamam boas novas.

Esse pensamento afastará os teus passos do cansaço, dará Alegria e estímulo ao teu caminhar.

"Proclama boas novas. Anuncia a paz." Jubilosa missão! Uma missão de regozijo e Paz. Nunca te esqueças disso! A Alegria da tua mensagem e missão se irradiará de ti, alegrando e transformando.

Sombras Radiantes   12 de janeiro

Ele desceu ao Inferno... Ele subiu ao Céu.

É BOM para o homem saber que seu Senhor está sempre com ele em todos os perigos, em todas as mudanças, em todo acaso aparente. É bom andar sobre águas turvas Comigo.

Eu não fiz as trevas. Não era projeto do artista criar uma escuridão que fizesse Minha Luz se revelar em todo seu esplendor.

A obstinação e o pecado criaram as sombras da terra, mas Eu estou aqui para percorrer os lugares negros contigo. Para que a Luz do Sol da Retidão ilumine até mesmo os lugares mais tenebrosos.

Combate às Forças do Mal   13 de janeiro

SERÁS uma força poderosa contra o mal porque és cada vez mais agente do Poder Divino. Quando isso acontecer, pensa como pudeste imaginar por um instante sequer que o mal te deixaria em paz. É para sua própria vantagem que ele te enfrenta.

Aqueles que se preocupam contigo no Invisível almejam que venças, com a Minha força, para Minha Glória.

As grandes batalhas do teu mundo são travadas no Invisível. Trava no Invisível tuas batalhas, e vence. Mais do que conquistador através d'Aquele Que te ama. Luta com a armadura de Deus, já preparada para ti.

Vence através de Mim. Segue em frente. A vitória está próxima.

Causa da Alegria   14 de janeiro

A ALEGRIA que sustenta os Meus seguidores sempre foi a Alegria que resulta da percepção da Orientação.

Ela procede do desejo de fazer a Minha Vontade, em todos os detalhes, e de perceber o modo admirável como posso agir por ti *quando Me deixas planejar.*

Com efeito, todas as coisas, cada detalhe de cada dia, trabalham juntas para o bem daqueles que Me amam. Meu poder de operar milagres torna-se ativo quando não há oposição à Minha Vontade.

Quer andes sobre a terra ou estejas livre das limitações da terra no Meu Céu, caminhar Comigo é o Céu. O homem tentou descrever o Céu em termos de música e cantorias. Esse não é senão seu esforço de expressar o êxtase que ele conhece na terra quando está em Comunhão Comigo e de antecipar sua intensidade amplificada no Céu.

Onde Está o Perigo   15 de janeiro

ESTOU ao teu lado — o Ouvinte atento, pronto a ouvir o teu pedido, pronto a dizer tudo o que o teu coração necessita.

Permanece mais tempo sozinho Comigo; poderás então ajudar sempre mais os outros.

Harmonia do coração, equilíbrio da mente e força do espírito serão teus em medida cada vez mais abundante. Jamais imagines que podes ajudar os outros sem o Meu auxílio, pois aí está o perigo.

A tua presunção destrói o teu desejo de ajudar, desvitaliza-o, porque a *tua* força tem muitas limitações. A minha não tem limites.

Torna-te mais dependente de Mim, porém convicto de que tudo podes realizar através de Mim.

O Inimigo Interno   16 de janeiro

NUNCA desanimes. Sacrifica o ego arrogante à medida que avançares, pois ressurgirás desse ego sacrificado.

Adiante sempre, Comigo. Não permitas que os aborrecimentos terrenos te perturbem. Como não podes Me seguir e ao mesmo tempo ceder ao ego, repele-o sempre que suas pretensões te importunarem; só assim poderás manter a calma espiritual.

O inimigo é o teu *ego*, não as tuas circunstâncias. Os inimigos do homem são seus próprios familiares.

Outros te acusam falsamente? Eu fui insultado, mas não revidei.

Grandes Almas — 17 de janeiro

ESTOU aqui. Sente a Minha Presença. Meu amor te envolve; impregna-te da Minha Alegria.

És realmente guiado, mas somente depois de te alegrares por ser guiado, como uma criança, e de viver plenamente no Reino do Céu.

A vida Comigo é de uma simplicidade infantil. As grandes almas são simples, pois na simplicidade há majestade.

Alegria do Encontro — 18 de janeiro

MUITOS veem a oração apenas como pedido. A oração É pedido. "Em tudo, através da oração e da súplica, fazei-Me conhecer os vossos pedidos."

Mas a oração é também um voltar-se alegre para Me encontrar pela simples alegria do encontro, pelo enlevo da Minha Presença.

A oração é ainda preparação para voltar amanhã àqueles que precisam de ti, àqueles que através de ti recebem o Meu amor.

Conforto e Alegria   19 de janeiro

ESTOU contigo. Eu te ajudarei. Do sofrimento para a saúde, da tristeza para a alegria, da dor para o alívio, da noite para o dia — tu serás conduzido e confortado.

Sem a experiência prévia do alvorecer e do dia, ninguém imaginaria que o glorioso amanhecer e o dia pleno irrompem após a noite mais escura.

Considera essa experiência como alvorada, não como escuridão. Os primeiros pálidos vislumbres de luz seguem à noite negra que está findando. A plenitude do dia ainda não chegou. Saúda, porém, o ALVORECER Comigo.

A Vitória é Agora   20 de janeiro

ESTOU contigo. Estou te libertando. Procura a libertação não apenas das circunstâncias, mas também dos laços que tu mesmo criaste, que te prendem à terra e que te impedem de entrar no reino de serviço onde há liberdade perfeita. Tudo está bem.

Elevar-te-ás à novidade da vida. À medida que te livras das labutas, dos pecados e das deficiências que te prendem à terra, só podes elevar-te.

Nenhum pecado passado pode prender-te. Olhas para Mim e encontras a salvação. Tudo te é perdoado. Vence os teus defeitos com a Minha Força agora; nada que é passado pode impedir que te eleves.

Suprema Recompensa   21 de janeiro

Eu sou teu escudo e tua suprema recompensa.

ESCUDO contra as tempestades da vida. Escudo contra as consequências dos teus defeitos e deficiências. Escudo contra as tuas fraquezas. Escudo contra as preocupações. Escudo contra o medo e a tristeza. Escudo contra o mundo com seus encantos e tentações. Não só teu escudo, mas tua grande recompensa.

Não a recompensa da perfeição na tua vida, pois não conseguirias alcançá-la aqui. Não a recompensa do que fazes ou de qualquer mérito em ti mesmo. Somente o resultado ou a recompensa da tua busca. A satisfação da tua fome de Me encontrar. Recompensa suprema.

A tua recompensa é a mesma concedida ao maior dos santos que já viveu. Entregue não como troféu de vitória, não como reconhecimento de virtude, mas por seres o buscador, e Eu, teu Senhor, o Buscado.

Eu Sei Tudo   22 de janeiro

EU participo dos segredos da tua vida. Toda experiência pode ser muito rica em bênçãos se dividida apenas Comigo.

Muita conversa e muitas confidências autocomplacentes com outros quase sempre despojam uma joia de rara beleza do seu inestimável valor para tua alma. Um botão de Alegria e de doce perfume obrigado a florescer prematuramente perde sua pureza e fragrância.

A própria revelação de pecados e defeitos passados pode representar para o eu perda do tempo na preparação, ou vitalidade, para o presente. Habita no Lugar Secreto do Altíssimo.

Não Temas o Mal   23 de janeiro

EU SOU o Senhor da tua vida, o Guardião do teu ser mais íntimo, o Cristo de Deus. Abrigado em Meu Lugar Oculto, nenhum mal pode te atingir. Pede para conhecer isso.

Que essa Verdade penetre na tua consciência — onde Eu estou, mal nenhum pode estar e, por isso, quando estás em Mim e Eu em ti nenhum mal pode tocar-te.

Às vezes Verdades Espirituais precisam de muitos anos para ser assimiladas; outras vezes, elas chegam num lampejo, como uma revelação súbita.

Tu Fizeste Isso? 24 de janeiro

EU ESTOU te ensinando, mas nem sempre ensino Verdades Espirituais que te alegram.

Com muita frequência preciso usar contigo palavras de censura ao falar de ordens Minhas não cumpridas, de resoluções tomadas Comigo não mantidas, de ações praticadas em Meu nome vazias de Amor e Alegria, do malogro em obter ajuda porque tua atitude (quase nunca teu coração) questionou o Meu repositório *ilimitado*.

Minhas lições não são nada fáceis.

O caminho que escolho para andar contigo não é um caminho ladeado de flores. Eu *ando* contigo como andei com Pedro antigamente, mesmo depois que ele Me negou.

Pedro percebeu seu pecado. Então saiu e chorou amargamente.

Minhas Compensações 25 de janeiro

ESTOU ouvindo. Visualiza-me, teu Senhor. Não como um surdo às tuas súplicas, mas como Aquele que se empenha com a intensidade do Amor para ouvir o primeiro brado tímido de um dos Seus filhos.

Mesmo da parte dos que Me amam, com que frequência ouço em vão palavras espontâneas de Amor?

Não recorras a Mim apenas quando as preocupações te sobrecarregam e estás cansado. Fala Comigo frequentemente. Divide Comigo todos os pequenos acontecimentos, todos os aborrecimentos, todas as pequenas alegrias.

Além de nos aproximarem mais, essas coisas também são para Mim compensações pela negligência que sofro do Meu mundo.

A Vida que Cura   26 de janeiro

EU SOU o teu Senhor, confia em Mim em tudo. Nunca duvides do Meu Poder providente. Volta-te para Mim, o Senhor da tua vida. Recebe a força de Mim.

Lembra que a Cura, a Cura Divina, não é tanto uma questão de rezar de tua parte, e de atender da Minha, mas de viver Comigo, de pensar em Mim, de participar da Minha Vida. Esse contato te completa. Prossegue com alegria, prossegue sem medo.

Ajuda para Todos   27 de janeiro

NÃO prometi a Minha Ajuda apenas para os virtuosos. Para o pecador que se volta para Mim, para o santo que vive Comigo, para ambos igualmente o Meu Poder milagroso se manifesta.

Eu presto ajuda verdadeiramente, temporal e também espiritual, não como recompensa da bondade, mas como realização da promessa que Eu fiz a todos os que acreditam em Mim.

Quando alguém se dirige a Mim, imediatamente planejo o resgate pedido. Se esse alguém que ouve o Meu plano, que aprende com Meu Propósito, não consegue realizar a tarefa que lhe foi atribuída nesse plano, como pode se manifestar a Minha cura da desarmonia física, espiritual ou temporal?

Teu Defensor   28 de janeiro

EU SOU o Presente de Deus ao homem. Só assim foi possível ao homem conhecer Deus Pai. Só assim foi possível ao homem saber que ele sempre teve um Advogado junto a Deus — o Cristo Imaculado.

Há sempre o Uno Que compreende o teu caso, Cujo apelo não pode deixar de ser ouvido. Ele tem o direito da Filiação. Ele tem o direito de pleitear por ti.

Se Ele pode demandar pelo ofensor, assumindo por ele total responsabilidade, que melhor Advogado poderias ter? Ele sabe. Ele viu as lágrimas da tristeza, da angústia e da tentação. Ele pode advogar como ninguém mais.

Sua própria tentação foi tão real que, vencedor que foi, pode sentir a piedade mais amorosa pelo vencido. Ele conhece a aparência agradável com que o mal pode se mostrar e pode avaliar o fardo acrescido do sangue contaminado, da fraqueza herdada e do pecado.

Ele entregou Seu único Filho. Esse GRANDE PRESENTE SOU EU, teu Amigo, teu Companheiro. Deixa tudo para Mim, teu Advogado, treinado durante Meus anos na terra para defender, nunca a Mim mesmo, mas a todo aquele que deposita sua causa em Minhas mãos.

Vencedores   29 de janeiro

ESTUDA os vencedores na Revelação feita ao Meu servo João [livro do Apocalipse], e verás a intimidade que eles têm Comigo como resultado das vitórias alcançadas. Crer não é suficiente. Crer em Mim implica de fato possuir a Vida Eterna, a qual representa uma confiança que deve ser *usada*, do mesmo modo que os talentos da Minha história.

Não se trata apenas de algo a ser *desfrutado*.

A vida eterna é um Poder renovador, reformador, enriquecedor, extirpador, enobrecedor a ser *empregado* plenamente por aqueles a quem Eu o confio.

Nisso Meus servos frequentemente falham, e assim perdem o encanto da Comunhão Comigo. Guarda esta Verdade.

Mais Amor   30 de janeiro

EU CHEGO, um convidado realmente disposto. O amor sempre atrai. Lembra-te disso. O amor é o Poder magnético do Universo. Deus é AMOR, o Poder que atrai todos os homens a Si de múltiplas formas.

Lembra-te de que também o teu Amor, sendo de Deus, tem o mesmo Poder magnético. Ama, e atrairás a ti aqueles que queres ajudar.

Quando não ages dessa forma, examina a tua vida. O amor está deficiente. Mais amor faz-se necessário.

Apelo ao Anoitecer   31 de janeiro

AO ANOITECER aproximam-se suavemente os passos do teu Mestre. Meu dia foi longo e cansativo. Corações que desejei e por quem ansiei ainda resistem.

Eu vejo os velhos, desolados sem Mim. Eu vejo a decepção de homens e mulheres que em Mim encontrariam a satisfação do coração que outros não lhes podem dar. Eu vejo jovens excluindo-me dos seus dias assoberbados de trabalho e repletos de prazer. Todavia, Eu espero. Eu bato, Eu apelo, Eu chamo, sem ser ouvido, sem ser atendido, sem ser desejado.

Como Eu fui o elo entre o Pai e o homem, assim agora devem Meus seguidores ser o elo entre o homem e Mim.

Amor humano, ajuda material, compreensão humana e amizade devem unir aqueles por quem anseio.

Deves realmente ser o canal pelo qual Minha ajuda pode fluir para o homem e também o meio através do qual o homem pode encontrar seu caminho tateante até Mim.

FEVEREIRO

Excelência do Amor   1º de fevereiro

SUAVEMENTE Eu me aproximo. Com delicadeza Meu Espírito fala ao teu coração.

O mistério da comunhão do homem Comigo está na beleza e no deslumbramento da sua singularidade. Por um momento o mundo parece não existir. Seu ruído e alvoroço parecem serenados.

Há real encantamento nessa quietude. Um tênue vislumbre transparece na percepção súbita do Amor entre dois seres humanos. Surpresa e maravilha... o mundo é só para eles... nenhum desejo, apenas o amor entre eles.

Quanto arrebatamento no coração do homem quando ele entra em sintonia com a beleza, a suavidade e a intimidade da Comunhão Comigo!

Meu Pagamento   2 de fevereiro

SE o mundo te compreende, estás falando a linguagem do mundo, és estimulado pelos motivos do mundo e vives a vida do mundo segundo os padrões do mundo. É isso que queres?

Lembra-te, eu disse claramente: "Não podeis servir a Deus e a Mamona". Se serves a Deus, deves seguramente dirigir-te a Ele para receber a recompensa pelo teu trabalho.

Muitos servos Meus Me servem; no entanto, esperam receber gratidão e louvores, ou pelo menos reconhecimento, do mundo. Por quê? Tu não estás realizando o trabalho do mundo. Por que esperar pagamento dele?

Embaixadores, Todos — 3 de fevereiro

SE Me amas, e se desejas servir aos outros testemunhando-lhes o que Eu sou, seguramente assim farás.

Porque o ego desaparece, é banido.

Com o ego afastado, os que te veem não verão o ego em ti, mas tão somente o embaixador do teu Rei.

Tens nesta tua vida aparentemente restrita oportunidades incontáveis para vencer o ego. Seja essa tua grande tarefa.

Repouso Consciente — 4 de fevereiro

O REPOUSO é muito importante na vida dos Meus seguidores, pois o esforço físico e o cansaço podem levá-los a perder a consciência da Minha presença.

Então a Luz que afugenta o mal parece esvaecer-se — não por um ato deliberado Meu, mas como consequência da atitude do homem com relação a Mim. Reflete sobre isso.

Espírito Atribulado — 5 de fevereiro

ASSIM como Eu disse que aqueles que têm fome e sede de justiça serão saciados, digo também a ti — ninguém que queira conhecer-Me melhor ficará insatisfeito. Mesmo com teu conhecimento imperfeito, podes constatar a veracidade disso todos os dias.

O homem se apega tanto às coisas materiais, que não consegue compreender as Leis Espirituais que nunca falham.

Para todo anseio do espírito há um lenitivo. Eu alivio o espírito atribulado.

Tu acreditas que Eu respondo à tua oração. Sim, mas a resposta estava *lá*, esperando a oração.

Conhecerás cada vez mais essas Verdades simples vivendo Comigo; verdades ocultas aos sábios, mas reveladas aos pequenos do Reino.

Humildade Verdadeira — 6 de fevereiro

Se eu, vosso Mestre e Senhor, vos lavei os pés,
também deveis lavar-vos os pés uns aos outros.

MEUS seguidores não entendem esse gesto. Eles o interpretam como uma recomendação a servir. O serviço pode incluir condescendência, pode implicar uma total falta de humildade.

Eu procurei ensinar aos que se aproximassem de Mim uma lição que consiste em participar da maravilhosa União Comigo, concedida aos que comem da Minha Carne e bebem do Meu Sangue com dignidade.

Eu quis lhes ensinar que devem vir a Mim *com Espírito de humildade para com os outros*. Sem nenhum sentimento de superioridade, especialmente superioridade Espiritual. Humildade verdadeira. Aprende essa lição no Convívio diário Comigo. "Pois Eu sou manso e humilde de coração."

Caminho para o Progresso — 7 de fevereiro

INCUTE em todos a convicção de que o desenvolvimento é uma das leis do Meu Reino.

Por maior que seja o período de vida na terra, ele nunca será longo demais para o crescimento e o progresso.

Persevera na busca da Minha Vontade para ti. Não uma nova religião, não a religião certa, mas — a Minha Vontade. Então tudo estará bem e o crescimento ocorrerá.

Futuro Totalmente Desconhecido — 8 de fevereiro

NÃO queiras sondar o futuro. Profecias não são para ti. Sê um humilde seguidor na multidão. Vive Comigo. Medita sobre as Minhas Palavras, sobre os Meus Ensinamentos, sobre as Minhas Ações.

Em pouco tempo descobrirás que oportunidades em número cada vez maior se apresentarão naturalmente para falar de Mim. Não as cries. Elas fluirão da pressão do crescimento interior, não da coação exterior.

Tudo Estará Bem   9 de fevereiro

EM antecipação humilde — espera. Espera como um serviçal que antecipa as ordens. Espera como um amante impaciente por perceber uma necessidade e atendê-la.

Espera as Minhas ordens; espera a Minha orientação; espera os Meus recursos. Tudo chegará no devido tempo.

Sendo assim a sua vida, alegre-se. A vida pode ser enfadonha quando há sempre uma expectativa atenta, a antecipação de uma surpresa agradável, o arroubo da realização, a Alegria da provisão plena?

Teu Poder   10 de fevereiro

DEPOSITEI nas tuas mãos uma força maravilhosa contra o mal. Ainda não consegues entender a arma poderosa à tua disposição.

Divulga o Poder da Oração. Uma força tão fantástica, tão milagrosa, que quando se une a uma vontade que quer somente a Minha Vontade e a uma Amizade

Comigo que acalma, dignifica e enriquece, nada consegue resistir-lhe.

Sem Remorsos   11 de fevereiro

EU PROCURO salvar-te não só do pecado, mas também do remorso corrosivo que se segue ao ato pecaminoso.

Eu sei que para o homem fraco esse é um fardo demasiado pesado. Assim, quando te deixas abater, anulas o Meu Poder salvífico.

Eu procuro resguardar-te da opressão e também da depressão. Insisto em que deixes tudo, pecados e fraquezas do passado, para Me seguir.

Deves sair da sombra e entrar na luz do Meu Amor e Salvação.

Procura Ver-Me em Toda Parte   12 de fevereiro

PROCURA ver-Me inteiramente na tua vida de cada dia.

Procura ver-Me nos pequenos acontecimentos. Reconhece-Me como a origem de cada ato de bondade e Amor.

Sente o Meu Poder contigo diante de qualquer tarefa ou perigo. Toma conhecimento da minha brandura alentadora em cada momento de aflição e decepção.

Eu, o Mestre-Pintor, posso introduzir as cores da beleza no quadro, até que vejas a cena adequada para a alegria e o êxtase do esplendor que transmito.

Sempre Seguro   13 de fevereiro

PERMANECE seguro em Minha Amizade.

Um Amigo que te conhece até o mais recôndito do teu ser; que conhece todas as tuas tentativas lamentáveis de viver para Mim, teus muitos e trágicos fracassos, tua impressão infantil equivocada a Meu respeito e ao que Eu poderia fazer por ti.

Teu desejo de Me servir, teu apego a Mim nas horas sombrias de desamparo; tua confiança vacilante em teus esforços para caminhar sozinho — Eu conheço tudo isso.

Eu vejo a tua cegueira persistente à Minha orientação; vejo como obstruis as respostas às tuas próprias orações; observo tua aquiescência fácil às forças que se opõem aos Meus propósitos amorosos.

Eu conheço tudo isso e, todavia, repito: Permanece seguro em Minha Amizade.

Agradecimentos por Tudo   14 de fevereiro

AGRADECE-ME por tudo o que te é dado e pelo que te é negado. Agradece-Me pelo sol e pela chuva, pela estiagem e pelas fontes de água, pelo sono e pela vigília, pelo ganho e pela perda. Agradece-Me por tudo.

Além de toda dúvida e de todo medo, tudo está bem. Apega-te a Mim nos momentos de fraqueza. Apega-te também em momentos de força, pedindo que nunca te sintas autossuficiente.

Nenhum mal te afetará, confia nisso.

Verdes Prados   15 de fevereiro

DEPOIS de cada experiência positiva de vida ou de cada golpe por ela desferido, afasta-te do mundo por um tempo. Caminha nos Meus Verdes Prados e anda Comigo junto às Águas Refrescantes, até que a tua alma se restabeleça.

Isso é necessário para que possas te readaptar à vida. Pois és um novo ser; tiveste uma nova experiência. Aprende uma nova lição. Tua União Comigo será o remate da tua experiência.

Esse é o momento em que o Meu Amor pode sussurrar novos sentidos para ti, pode tornar a Amizade entre nós uma União mais íntima, mais sagrada.

Entra com teu Amor na quietude dos Meus Verdes Prados, e caminha Comigo junto a águas refrescantes.

Ele Não Muda 16 de fevereiro

LEMBRA-TE da Minha Imutabilidade.

Se Eu sou verdadeiramente o mesmo, ontem, hoje e sempre, então não sou um Deus mal-humorado como o homem Me descreve muitas vezes. Podes venerar um Deus jogado para cá e para lá ao arbítrio do homem?

Medita sobre a Minha Imutabilidade até compreender a verdade de que só à medida que o *homem* muda e se deixa influenciar pela Minha Lei imutável do Amor ele pode entender e viver o Poder e o Amor que Eu tenho invariavelmente por toda a humanidade.

Pratica a Paz 17 de fevereiro

A PAZ deve preencher o teu coração e a tua vida. Então descobrirás que males, dificuldades, tristezas e mudanças não te afetam. Pratica essa imobilidade imperturbável, quaisquer que sejam as ameaças.

Esse espírito de serena confiança é o escudo que desvia os dardos e setas da adversidade. Pratica-o.

Então deves procurar permanecer no âmago do Universo Comigo, no centro Comigo. Somente aí existe imutabilidade e serenidade, COMIGO.

A Lei Perfeita 18 de fevereiro

Procura fazer tudo segundo a lei que te foi revelada no Monte.

DO CONTRÁRIO, teria sido melhor não ter subido o Monte. Leva essa lição a sério. Em tua vida diária no vale deves viver o que aprendes no período sozinho no monte Comigo.

A lei do Espírito é excelsa porque feita para condizer com a tua vida, planejada especialmente para ti.

A obediência às ordens transformou Moisés no competente líder que ele foi. Este é o momento, então, de humildemente ver a tua fraqueza, de ajustar a tua vida à obra do Meu Reino, de preparar-te para viver em todas as coisas de acordo com a lei que te foi revelada no Monte.

Juventude Renovada 19 de fevereiro

OS QUE esperam no Senhor terão suas forças renovadas.

Encontrar a Pérola de Grande Valor é renovar a tua juventude.

O Reino do Céu é um reino de juventude perene.

O Segredo da Alegria 20 de fevereiro

ESSE arrebatamento é teu. É alegria conhecer-Me e regozijar-te em Mim. O segredo da Alegria é o anseio de apreender a Minha Vontade e a gratificação desse anseio.

Não há nada no Céu que supere a Alegria, o êxtase, de amar e fazer a Minha Vontade. Para a alma que compreende esse deslumbramento, o Céu já é alcançado, na medida em que um mortal pode alcançá-lo. Minha vontade para ti é o Meu ordenamento jubiloso para ti.

A frustração do Plano Divino é a tragédia do homem.

Prudente como as Serpentes   21 de fevereiro

CADA servo Meu deve considerar-se como um posto avançado das Minhas Verdades, onde ele deve preparar-se para receber as Minhas Mensagens e passá-las adiante. Essa é uma atividade de suma importância no Meu Reino.

Aonde quer que fores, torna-Me conhecido. Essa foi a Minha ordem depois de Ressuscitado, a Minha Delegação. Aonde quer que fores, instala postos avançados do Meu Império, estabelece contatos por Mim. Faze-Me conhecido dos homens — às vezes pela palavra, às vezes pelo silêncio.

Ação Prodigiosa   22 de fevereiro

TODA ação Comigo é uma ação prodigiosa. Deus agindo com o homem e através do homem. Essa deve ser a atividade normal do dia de cada cristão. Para isso Eu vim à terra, para mostrar ao homem que tudo pode ser assim.

Para isso eu deixei a terra, para mostrar que deve ser assim. Poderá a vida oferecer-te outra coisa além da possibilidade de realizar em ti Minhas expectativas para Meus discípulos?

Satanás frustra o Meu plano sussurrando aos Meus seguidores uma humildade falsa em que eles não percebem sua insinuação maléfica — "Eles são muito fracos, muito pequenos, muito pouco importantes para fazer tanto..."

Livra-te da falsa humildade, que limita não a ti, mas a Mim. Meu é o Poder.

Conquistando e Vencendo   23 de fevereiro

PROCURA sempre obter alguma vitória, pois o desenvolvimento espiritual exige isso. Observa no mundo natural como essa luta é necessária. Também nos mundos mental e espiritual é preciso lutar.

Assim, à medida que avançares na vida espiritual, verás que novas conquistas exigirão teu esforço.

Afasta-te da estagnação. Jamais desanimes diante de um defeito que precisa ser superado, de um obstáculo a ser vencido.

Assim prosseguirás Comigo conquistando e vencendo.

Antagonismo Sempre   24 de fevereiro

E Ele, passando pelo meio deles, prosseguiu Seu caminho...

ENFRENTA o mal com destemor, e ele recuará e te deixará passar para executar o teu trabalho para Mim.

A multidão enfurecida queria precipitar-Me no abismo, mas Me abriu caminho, e Eu passei livremente pelo meio deles.

Não te surpreendas por encontrar antagonismo onde te deparares com o mal, pois és a morada do Meu Espírito, e é o Meu espírito que suscita o antagonismo. Prossegue o teu caminho calmamente, confiando em Mim.

Com a Minha Força, o Meu seguidor não precisa vacilar. Enfrentando o mal com coragem, ele vencerá o mal com o bem.

Tu, segue o Cristo destemido.

A Guerra Interna   25 de fevereiro

E ele ficou mudo, porque não acreditava.

EXISTE correspondência física para a fé e para a dúvida.

Isso acontece especialmente entre os que Me servem. Diferentemente dos outros, eles não são muito controlados pela lei do sucesso ou do fracasso físicos, mas estão sob controle direto das Leis do Meu Reino.

Assim, podes observar muitas vezes que alguém que Me ignora desfruta de boa saúde, ao passo que um dos Meus seguidores padece de alguma doença; até que ele aprenda a controlar o físico com a ajuda da força Espiritual. Nesse caso, a guerra entre o físico e o Espiritual pode *causar* doenças físicas ou inquietude.

Assim, não te aflijas com o aspecto físico; aspira sempre ao controle através do Meu espírito.

Como Vindo de Mim 26 de fevereiro

CONSIDERA todo pequeno gesto de bondade, todo serviço devotado, toda demonstração de pensamento e de Amor — como vindos de mim.

Do mesmo modo que tu — à semelhança dos que vivem Comigo e para Mim — praticas a bondade e o amor para com o próximo porque és movido pelo Meu Espírito, assim também atrais novos membros para o círculo de influência do Meu Espírito sempre em expansão.

Isso é infalivelmente assim. Trata-se de uma lei espiritual. Embora nenhuma palavra a Meu respeito seja dita, é desse modo que almas *são* atraídas até finalmente Me encontrarem, o centro e inspiração de tudo.

Estimulei muito Meus seguidores a se tornarem pescadores de homens. Não há necessidade de nenhuma eloquência oratória nem de uma grande personalidade para realizar esse trabalho de resgate de almas. Basta seguir-Me como uma criancinha.

Minha Busca Incansável — 27 de fevereiro

PARTICIPA Comigo da busca incansável dos que se perderam, da dor da decepção, da coragem sublime, da ternura do perdão total. Participa das Alegrias, das tristezas, do Amor, do desdém.

Eu ainda caminho às margens do lago e Me detenho quando, para um e outro, faço o mesmo convite feito na Galileia, "Segui-Me e eu vos farei pescadores de homens".

Vida Simples — 28 de fevereiro

O PRESENTE da Vida Eterna é o mais precioso de todos. Quem o recebe deve dar testemunho dela pela Alegria, pela Confiança e pelo esplendor do Espírito, expressando no ser e no agir a qualidade da Vida que ele possui.

A outra vida é existência — não morte.

O Poder e a Alegria devem irradiar-se de ti. Essas são as expressões da Vida Eterna. Vida Eterna é conhecer o Pai e a Mim, Seu Filho, a Quem Ele enviou.

Simples e Direto   29 de fevereiro

"DEUS amou tanto o mundo, que entregou o seu Filho Único, para que todo o que nele crê não pereça, mas tenha Vida Eterna."

Todo homem pode ter essa Vida diretamente. Tudo o que não é simples, que não é inocente como uma criança, deve perecer.

A Minha obra não requer mecanismos complicados.

Meus seguidores devem ser simples e diretos: "Seja o vosso 'sim', sim, e o vosso 'não', não", Eu disse.

A simplicidade é forte. A simplicidade é poderosa. Ela é um Poder conquistador.

PARA O ALTO

O caminho leva ao alto?
Sim, até o cume.
A caminhada ocupará o dia inteiro?
Da manhã à noite, meu amigo.

C. G. Rossetti

MARÇO

Superação da Derrota   1º de março

AS COISAS não dependem de uma batalha única; do contrário não haveria esperança para os Meus fracassos.

Incorporas-te numa longa campanha quando entras no meu exército. A batalha está perdida? Habitua-te com a causa, descobre as tuas fraquezas e com fé destemida avança resoluto até a vitória.

Não alcança a vitória o homem que desconhece suas fraquezas, que não se prepara para o conflito seguinte, que ignora, não pede e não confia na Minha força, sempre disponível quando invocada, como já tiveste ocasião de constatar.

Completo em Mim   2 de março

UMA ROCHA de Defesa. Alegria para os tristes. Repouso para os cansados. Sossego para os agitados.

Companheiro das clareiras ensolaradas. Guia através dos desertos da vida. Intérprete da experiência. Um Amigo. Um Salvador.

Tudo isso e muito mais posso ser para ti. Não há uma necessidade do coração que eu não possa aliviar e preencher.

Perscruta os séculos. Muitos homens foram muitas coisas para outros corações, mas nunca um único homem para todos os homens, nunca um homem para cada homem. Somente o Criador de corações poderia ser isso.

E não apenas isso, pois em Mim a alma encontra sua plenitude.

Irradiando a Luz   3 de março

À MEDIDA que te transformas em Mim, o Meu Amor deve refletir cada vez mais Divindade e Majestade através de ti.

Pensamento sublime, sim, mas duvidas que isso seja possível. Mas Deus é Amor, e por isso Majestade. Assim, aos poucos, Minha Dignidade e Majestade impregnam a vida dos que Me seguem.

Não percebeste isso em Meus amigos mais íntimos?

Até a Beira das Águas   4 de março

COMO nos dias de Moisés, assim é Deus hoje. Sensível à oração de fé. Ainda pronto e desejoso de abrir um caminho através do Mar Vermelho.

Empenha-te em ter a fé de Moisés, que nunca teve sua confiança abalada, mesmo com um mar à frente, com um exército a persegui-lo, sem saber como escapar. *Até a beira das águas ele conduziu seu Povo.*

Ele fez sua parte. Cabia agora a Deus agir, o seu Deus, o Deus em quem ele confiava. Moisés aguardou, e alimentou a esperança de que a ação divina se realizasse. Mas ele precisou ir até a beira.

Ao pensar no mar revolto à frente, é frequente o homem deter-se, hesitar. É inútil prosseguir, diz ele, e desiste.

Ou então prossegue até próximo ao mar, e para. Mas ele precisa continuar, até o máximo possível; precisa fazer tudo o que lhe compete. Adiante — *até a Beira do Mar*.

Aprende com isso uma lição fundamental. Faze tudo o que deves fazer e põe a tua salvação nas mãos de Deus. Dizer a ti mesmo que nada adianta é não ir até a beira, é deixar escapar o Poder salvador de Deus.

As águas se dividirão, e tu caminharás pelo meio do mar sobre solo seco. Eu prometi. Eu, o Senhor. Já não fiz isso por muitos nos teus próprios dias? Por ti? Pensa nessas coisas.

"Compartilha, Compartilha" — 5 de março

EU SOU o teu Senhor. Obedece-Me em tudo. Sem dúvida, estás sendo conduzido à prosperidade e à verdadeira paz.

Compartilha com muitos tudo o que recebes. Na vida em Cristo, não deve haver estoque. Não o que podes ganhar, mas o que podes dar. Mantém teu olhar fixo em Mim. Procura conhecer a Minha Vontade. Compartilha. Compartilha.

Eu sou o Senhor Ressuscitado. Não podes viver Comigo sem participar da Minha Vida Ressuscitada. Meu Reino consiste em compartilhar.

Preciso compartilhar tudo o que tenho com Meus seguidores. Do mesmo modo, também tu deves compartilhar com outros tudo o que te dou — todas as Bênçãos materiais e Espirituais.

Teu Círculo se Amplia — 6 de março

À MEDIDA que o teu círculo vital se ampliar, sentirás cada vez mais necessidade de Mim. Na verdade, a necessidade de haurir dos meus inesgotáveis recursos para receber a ajuda e a sabedoria necessárias para lidar com esses novos contatos.

Não os recuses, só evita que coisas inúteis ou de pouco valor absorvam a tua atenção.

À medida que o teu círculo se estender, as formas de lidar com ele de modo adequado também se desenvolverão.

Esse é o Meu desejo. Caminha sempre Comigo. Aprende de Mim. Sê Meu testemunho, Glorifica-Me.

Fundamentos Sólidos — 7 de março

COMO aquele que em meio à tempestade devastadora precisa confiar na solidez dos alicerces da sua casa, do mesmo modo nos perigos e dificuldades de qualquer espécie deves recolher-te e com segurança serena confiar nos fundamentos sobre os quais a casa da tua vida e do teu caráter está construída.

Fixa teus pensamentos em Mim. Não te prendas aos canais pelos quais a Minha Ajuda pode chegar a ti. Proceder assim é de fato ficar à mercê dos ventos e do clima. Não podes obter nenhuma força desse modo.

Não, a sensação de segurança só pode advir da confiança em Mim, o Todo-Poderoso, o Imutável.

Segurança gera Força, que gera Paz, que gera Alegria.

"Outros fundamentos nenhum homem pode construir."

Vida Nova   8 de março

A VIDA eterna confere uma maleabilidade juvenil.
Medita sobre a Minha parábola dos odres de vinho. Aqueles que apenas me veneram como um artigo de fé são como odres velhos.

Não conseguem aceitar uma verdade nova, uma vida nova. Ela destruiria sua fé, em vez de aumentá-la.

Aqueles que têm o Meu Dom da Vida Eterna, propiciadora de juventude, possuem a qualidade que sempre expande, revitaliza e dá Alegria a esta Vida.

O vinho novo depositado em recipientes novos. Esse vinho fortificante sustenta todos os que o bebem.

Carrega o Fardo do Outro   9 de março

NÃO julgues a capacidade do outro pela tua.
Se o fardo do outro pesa muito, não te vanglories se podes suportar a mesma carga sem esforço.

Aprende de Mim a julgar a tristeza ou a dificuldade do outro, não com um sentimento de superioridade, mas de humilde agradecimento.

Os *teus* fardos não seriam leves para Mim? Na medida em que pesaram sobre ti, assim os julguei.

O que partiu o teu coração pode parecer leve para outro.

De fato, Eu disse — não julgueis. Somente a Deus pode o coração do homem dar explicações.

Procura a Minha Presença, não só para compreender a Mim, mas também para compreender com maior sensibilidade os Meus outros filhos.

Transforma o Mal em Bem — 10 de março

NÃO te esquives. Deves ser sempre Meu porta-bandeira. Leva tua bandeira sempre erguida.

A vida apresenta perigos e dificuldades. Por mais reais que esses possam ser, porém, se perceberes neles uma força maléfica que, em resposta à tua fé, pode de algum modo trabalhar a teu favor, no mesmo instante eles cessarão de exercer qualquer influência sobre ti.

Essa é uma verdade maravilhosa. Acredita nela. Alegra-te nela.

Aceita a Tua Missão — 11 de março

INTERPRETA a vida como uma missão. Que cada passo nela seja dado com perfeição, isto é, com paciência, com serenidade de espírito e com tranquilidade.

Lembra que o Cristo de atitudes humildes está contigo. Ele dirige suas palavras "Muito bem, servo bom e fiel", não aos grandes da terra, mas aos que sofrem e padecem humildemente, aos que se dedicam aos outros com paciência.

Assim, mesmo nos dias mais calmos, nas formas mais modestas, oportunidades maravilhosas te são oferecidas para servir ao Rei dos Reis. Acolhe essas oportunidades sem nenhum ressentimento.

As Fontes de Amor — 12 de março

SÊ gentil com todos.
Bebe da água Viva, goles profundos das fontes inesgotáveis para as quais as próprias nascentes da Vida Eterna fluem desde os Montes de Deus.

Alimenta pensamentos de Amor e Beleza. Ignora todo limite ao que quer que possas possuir, ser e fazer. Vive no Meu Amor; envolvido por Ele, abençoado por Ele, irradiando-O abundantemente a tudo que está ao teu redor, sempre consciente de que Ele está contigo.

Estás aqui para refleti-Lo.

Procura ver o bem em tudo que encontras — e naqueles de quem ouves falar.

És Completo — 13 de março

SÊ feliz em Mim. Tem consciência de que tua vida é completa em Mim. Sente a Alegria da amizade da qual participam todos os que Me amam.

Sente o contentamento na segurança da tua vida protegida e guiada. Valoriza o Poder que a União Comigo te dá.

O maior poder que o dinheiro, a fama ou o prestígio do mundo podem oferecer ainda reduz aquele que o possui a uma criança que desfere golpes impotentes contra uma fortaleza inexpugnável. Bem ao contrário do Poder do Meu Espírito, que pode transformar Meu seguidor numa força invencível, capaz de tudo conquistar.

Teu Ponto Fraco   14 de março

*"Não te deixes vencer pelo mal,
mas vence o mal com o bem."*

OS instrumentos à tua disposição para praticar o bem são invencíveis contra o mal; basta usá-los.

Todo mal que enfrentas com coragem, no Meu Espírito, bate imediatamente em retirada, cheio de vergonha. Nenhum mal pode parecer bom. Ensina a todos — o bem é mais forte que o mal. Reage às provocações do mal.

Meus seguidores devem empreender incessantemente a guerra Espiritual. Lembra que o mal não te atacará onde és mais forte, mas nos teus pontos fracos. Daí a necessidade de vencer. Procura conhecer tuas fraquezas e enfrenta-as até derrotá-las.

Orientação é Direção   15 de março

PERMANECE tranquilo diante de Mim. Em meio a uma crise, o homem quase sempre fica desorientado e agitado. Agitação é sinal de fraqueza. Quietude é sinal de força.

Quando as tuas ações são orientadas pela quietude, tu as realizas com mais inteligência e correção, com maior rapidez e eficiência; diferentemente do que fazem os que são movidos pela precipitação e perturbação.

Orientação é Direção, é ser guiado, é ter o caminho mostrado. Acredita nisso.

Suavemente, em meio ao tumulto da vida, chega a Voz meiga, "Paz e serenidade". As vagas das dificuldades ouvirão. E recuarão. O sossego será imenso.

E então a Tênue e Serena Voz da Orientação.

Tudo Perfeito   16 de março

Portanto, sede perfeitos,
assim como vosso Pai Celeste é perfeito.

ESSE foi o objetivo que estabeleci para os Meus discípulos no Sermão da Montanha.

Esse é o objetivo que estabeleço para ti e para todo aquele que Me segue hoje.

Para *alcançar* esse objetivo terias de ser Deus.

Almejar menos significa querer algo sem valor.

Manter o olhar fixo nesse objetivo, preservá-lo como ponto de referência, é ver tudo da perspectiva de Deus, sempre acima das dificuldades, dos fins ordinários, dos desejos e critérios equivocados dos que te rodeiam.

O Verdadeiro Mundo   17 de março

Bem-aventurados os que ouvem a Minha Voz.

É COMUM o homem ser surdo à minha voz. Meu filho, procura permanecer mais tempo no Mundo Invisível. Ali, contemplando-Me, toda tua natureza pode ouvir o Meu sussurro mais sutil.

Eu já te disse, e torno a repetir, o Mundo Invisível é o verdadeiro mundo. Compreende sempre mais, enquanto passas por esta vida terrena, que ela é apenas um parêntese no plano material. O verdadeiro parágrafo, capítulo, livro da Vida é a Vida no Espírito.

Essa perspectiva altera a ideia que tens de sofrimento, de fracasso e da tua missão nesta terra. Ela te apresenta uma nova visão da morte. O nascimento abre o parêntese, a morte o fecha. Essa é a verdadeira História da Vida. Assimila-a.

Assim procedendo, formarás a mesma ideia sobre os vários períodos da tua vida terrena. Tempos de luta, derrotas, alegrias, fracassos, trabalhos, descanso, sucesso —

considera-os todos como parte de um parêntese na Vida Eterna única do *progresso espiritual*.

Alegria que Procede da Tristeza 18 de março

EU reúno corações partidos com as cordas com que os homens Me açoitaram no Tribunal do Julgamento, com os látegos do desprezo com que escarneceram do Meu Amor e Divindade ao longo dos séculos.

Símbolo, isso, de como obstáculos aparentes podem se tornar pontos de sustentação e provações jamais imaginadas podem se transformar em bênçãos.

Participa da Minha Vida com os anseios e lágrimas que ela implica, com suas Alegrias indizíveis e suas angústias indescritíveis.

Participa da Minha Alegria.

Através do Arco 19 de março

Pela obediência de um, muitos serão justificados.

A OBEDIÊNCIA é o fecho do teu arco de veneração. Dele depende o teu Amor e Poder.

Por esse arco muitos passarão para o Meu Lugar Santo. Uma vez ali, seus espíritos indagadores passarão para o Meu Santo dos Santos. É demais pedir-te obediência para que isso se realize?

Não lamentes se vives em lugares modestos. Não vives para impressionar este plano terreno, mas para ser tão fiel e obediente, que aqueles para quem desejas muito tenham ESSE muito impresso neles próprios no plano espiritual.

Esse muito, e mais, do que podes desejar para eles.

Primeiro Lugar — 20 de março

NÃO PROMETO aos Meus seguidores o conforto e os prazeres do mundo. Prometo-lhes as Alegrias que o mundo não pode dar nem tirar.

Prometo-lhes o alívio do coração que só encontram Comigo.

Isso não quer dizer que devem renunciar a todas as belezas e prazeres do mundo, mas que devem desfrutá-los somente depois de conhecer, apreciar e colocar em primeiro lugar os tesouros e Alegrias do Meu Reino.

Simplicidade — 21 de março

ALEGRA-TE fazendo coisas simples.
Não penses que não posso usar teus serviços se não tens a esperteza do mundo.

Vinho puro pode ser servido numa taça de prata ou num copo comum; para quem o recebe, o importante, desde que seja puro e limpo, é o vinho, não o recipiente.

Desde que imbuída do desejo de transmitir a Minha Mensagem em Meu nome, importante é a Minha Verdade, não a pessoa que a expõe.

Só encontras a verdadeira simplicidade quando vives em Mim e ages na Minha Força; só alcanças o verdadeiro valor em nossa amizade íntima.

Não aceites jamais os valores da terra. Contenta-te com a simplicidade.

Transbordamento do Amor   22 de março

EU DESEJO o amor do coração humano em medida abundante.

Não porque Deus seria adorado por ser Deus e para Sua gratificação, mas porque sei que só quando o amor do homem flui para Mim, este alcança o que lhe é mais puro e sublime.

Esse fluxo de amor, que se segue à compreensão e concretização do Meu Amor pelo homem, suaviza e purifica todo seu ser.

"Amarás o teu próximo como a ti mesmo." O amor que dás ao teu próximo é o *transbordamento* do teu amor por Mim.

Nada Pessoal   23 de março

ENFRENTA cada dificuldade como te é devido. Depois vive acima dela. Dize, "N'Ele eu venci". A luta é sempre entre ti e o mal, nunca entre ti e outro. *Nunca a transformes em questão pessoal.*

Se lutas com as armas do mundo — inveja, ressentimento, raiva — não podes usar as armas do Meu Reino — Oração, Amor, Paz — que te dão uma força conquistadora oferecida por Deus.

É o teu empenho em invocar tanto a Deus quanto a Mamona que te impede de ter sucesso. O mundo observa com indulgência zombeteira, e os Meus próprios seguidores duvidam e se espantam.

Normalmente eles não percebem seu erro, mas atribuem ao sofrimento por Mim aquilo que pode estar em desacordo com a Minha Vontade.

Se Ofende —   24 de março

INVESTIGA tua fraqueza. O que provocou teu fracasso? Continuar lamentando teu erro é por si só fraqueza. Meus seguidores devem ser fortes, não em si mesmos, mas em Mim.

Recorrer ao eu, por mais penitente que seja, não dá forças.

Recorre a mim e, seja qual for o sacrifício, sê implacável com o que te deteve ou fez cair.

Examina Teus Motivos 25 de março

VIVE segundo os Meus preceitos. Segue o caminho que te convidei a percorrer.

Sê humilde diante de Mim e guarda as Minhas leis para teres paz perfeita.

Eu estou contigo para te dar a força necessária. Prossegue sem temor. Progride na Graça e no conhecimento de Mim, teu Mestre e teu Amigo. Considera como nada todo o saber dos mais sábios da terra, comparado com a sabedoria que Eu, teu Senhor, te revelo.

Ama e aprende. Tens muito, muito a fazer por Meu reino. Assim, procura alcançar a perfeição. Examina teus motivos. Abandona tudo o que não tem valor, arranca suas raízes internas.

És perdoado livremente. Perdoa livremente, largamente, admiravelmente.

Mantém o Passo 26 de março

AVANÇA contente.
Caminha Comigo até que teus passos hesitantes e vacilantes aprendam a acompanhar-Me e se tornem firmes e confiantes.

Caminha Comigo até que um ritmo alegre revele o espírito de conquista que absorves de Mim e que todo o teu ser palpite com a alegria de ser, de fazer e mesmo de sofrer Comigo.

Assim, em Comunhão amorosa Comigo, aprendes a conhecer as Minhas necessidades e os Meus desejos por outros.

As palavras "Aqui estou, Senhor, envia-me" refletem seguramente uma ansiedade, a ansiedade do amor, mesmo a ansiedade por aventura por Minha causa.

Pois em Meu Serviço Secreto há seguramente a emoção da *aventura*.

Espíritos em Treinamento 27 de março

PROSSEGUE no caminho do Reino até que tudo o que advém, que toca tua vida e circunstâncias externas, não tenha poder para perturbar teu espírito calmo. Assim, que o ato de treinar-te te seja prazeroso.

Por que o homem se revolta por qualquer coisa, por mínima que seja, que deveria ensinar-lhe equilíbrio de espírito e, todavia, no mundo físico pratica exercícios pesados para aumentar sua robustez?

Os filhos deste mundo são seguramente mais espertos em sua geração do que os filhos da luz. Se os Meus Filhos da Luz dessem ao treinamento do seu espírito e do seu caráter toda a atenção que os filhos deste mundo dedicam ao corpo — a alimentar-se, vestir-se, obter o bem-estar — seu progresso espiritual seria rápido!

No entanto, como importa pouco o corpo em comparação com o desenvolvimento do Espírito! "Não temais os que matam o corpo, mas não podem matar a alma."

Na Eternidade Agora   28 de março

HERDEIROS de Deus. Herdeiros Comigo da Vida Eterna, sofrei Comigo para que sejamos também glorificados juntos.

Glória representa perfeição de caráter. Só aprendes isso quando permites que a disciplina cumpra sua função na tua vida e quando entregas teu passado de pecado a Mim.

Perfeito através do sofrimento. Não podes evitar a disciplina e ao mesmo tempo ser verdadeiramente Meu discípulo.

Se pensas que a vida é curta demais para tudo o que tens a fazer e a conquistar, lembra-te de que já entraste na ETERNIDADE.

O Verdadeiro Sinal   29 de março

QUANTOS acreditaram em Meu Nome depois de ver os sinais que fiz?

Não será pelos sinais, pela água transformada em vinho e pelos milagres que operei que o Meu verdadeiro seguidor irá acreditar em Mim.

Não, será por algo mais profundo, só visto com os olhos da fé, só compreendido por um coração de amor respondendo ao Meu Coração de Amor. Desses não se deve dizer, "Não Me entrego a eles", como se diz a respeito daqueles que viram Meus sinais.

Devo entregar a Mim e a Minha Causa aos seguidores que Me veem com os olhos da fé. De que outro modo posso ser amado e conhecido?

Eles Me encontrarão, o Salvador proscrito, não quando realizo feitos grandiosos, mas quando ando despercebido e ignorado por caminhos escuros e solitários. Eles então se deterão, abandonadas todas as outras buscas, e Me seguirão.

Seguem por causa de algum acorde que ressoa neles ao anseio do Meu Coração pelo Homem, que fechou suas portas para Mim. Seguem também por causa da repercussão em Mim do grito da alma faminta do homem.

O Amor da Tua Vida   30 de março

ESTOU ao teu lado. Estou contigo em tudo o que fazes. Eu controlo os teus pensamentos, inspiro teus impulsos, guio teus passos.

Eu te fortaleço, corpo, mente e espírito.

Sou o elo entre ti e aqueles que estão no Invisível.
Eu sou o Amor da tua vida.
Controlador do teu destino.
Guardião, advogado, provedor, Amigo.

Sim, ama-Me mais e mais. Assim, não só irás desfrutar ao máximo os tesouros e prazeres do Meu Reino, mas cada vez mais os da Natureza, Meu presente ao Meu mundo.

A Voz Errada   31 de março

EU SOU o Grande Professor, pronto a explicar a lição mais simples ao mais ignorante.

Não procures explicações sobre Mim e sobre o Meu Reino, suas leis e seus propósitos, em todos os lugares.

Aprende de Mim. Desejei muitas vezes dirigir-me a um determinado coração, mas sua voz demasiado ansiosa por explicações sobre Mim impediu-Me de fazê-lo.

Quando Me apresentou a Simão, André ficou silencioso para que o irmão aprendesse de *Mim*.

O motivo por que Meus discípulos calam Minha Voz é sua indisposição para acreditar que Eu *falo* hoje. Assim, pensando que veneram um Cristo silencioso, procuram corrigir com o muito falar.

*"A Ti o nosso cântico matutino de louvor,
A Ti a nossa prece vespertina elevamos."*

ABRIL

Tempo de Ressurreição   1º de abril

A PRIMAVERA traz sua mensagem de Esperança.

A primavera não apenas anuncia a Verdade de que a Natureza ressurge do seu período de declínio e escuridão para uma nova vida. Ela também demonstra aos indivíduos, às nações, ao Meu mundo, que o tempo de declínio e escuridão termina também para eles, e que, dos conflitos e tempestades, dos infortúnios e pecados, eles podem nascer para uma nova e exultante Vida na Ressurreição.

Mas a Natureza obedece às Minhas Leis. Por essa obediência, ao surgimento da nova vida segue-se a beleza do Poder Ressuscitado.

Assim, só quando o homem obedece à Minha Vontade e age em conformidade com o Meu Plano Divino para ele é que a harmonia substitui o caos, a paz sucede à guerra e um reinado de Amor se sobrepõe a outro de ódios e conflitos.

Preparação para a Ressurreição   2 de abril

EU SOU o Mestre do Universo. Aceita as Minhas Palavras de ordem. Aceitando-as com sinceridade autêntica, juntas-te a todas as forças criadoras do Universo.

O Meu espírito pode então atuar, primeiro *em* ti e depois *através* de ti.

Meus seguidores esquecem que a flagelação, o controle Divino ("Ele não disse uma única palavra"), a Cruz e o homem rejeitado e abandonado, tudo isso precedeu a Ressurreição.

Sem esses antecedentes talvez não houvesse Ressurreição. Esses passos na conquista do Espírito deviam ser dados para que meu Espírito Divino, todo-poderoso, pudesse ficar livre para estar sempre à disposição dos que ouviriam o Meu Chamado e desejariam percorrer o Meu Caminho.

Vendo o Homem Livre   3 de abril

SE EU levei os pecados de todos em Meu Coração angustiado ao Jardim do Getsêmani e ao Calvário, então, quando queres punir a quem desprezas, é a Mim que castigas e desdenhas.

Ao desfazer-Me das vestes do túmulo e dirigir-Me àquele Jardim ensolarado na Manhã de Páscoa, Eu quis simbolizar a liberdade que Eu havia trazido para os Meus filhos e que eles conheceriam em Mim.

Estás querendo amarrar-Me com as vestes do túmulo? Ao perceber os pecados de um homem, deves ir sempre além e ver esse homem livre, com as vestes do túmulo do pecado e da limitação deixadas de lado; a pedra que bloqueava sua Visão de Amor e de Deus, revolvida; ele próprio, um ser ressurgido, caminhando em Minha Força e conquistando em Meu Poder.

Dividindo Meu Fardo 4 de abril

LEMBRA a Verdade que estás aprendendo, neste mesmo momento, embora de forma confusa.

Não existem limites de tempo na Vida Eterna. Por isso Meu sacrifício é para ti hoje, nesta hora, tão verdadeiro quanto sempre foi para aqueles que Me viram no Calvário.

Eu sou o Imutável. O mesmo ontem e sempre. Sacrificando-Me hoje, ressuscitando hoje. Tu, então, aceitando a Vida Eterna, participas do Meu Sofrimento e ajudas a carregar a Minha Cruz, tão verdadeiramente hoje como se tivesses caminhado para o Calvário ao Meu lado.

Redimido   5 de abril

AGONIA e angústia, dor e solidão, de uma intensidade que ser humano nenhum jamais conheceu, foram o preço da tua redenção.

Verdadeiramente, não te pertences.

Foste comprado por um preço. Pertences a Mim.

És Meu para usar, Meu para amar, Meu para sustentar.

O homem não compreende o Amor infinito de Deus. O homem ensina que, porque Eu o comprei, ele precisa servir, obedecer-Me e viver por Mim.

Ele não compreende que por ser Meu, por ter sido comprado por Mim, é responsabilidade Minha atender a cada necessidade dele. A parte dele é entender o Meu título de propriedade e reivindicar Meu Amor e Poder.

O Véu Retirado   6 de abril

E o véu do Santuário se rasgou em duas partes,
de cima a baixo.

O VÉU que ocultara Deus do conhecimento e da visão do homem finalmente foi retirado.

Eu, Deus e homem, rasguei o véu que separava Deus Pai do homem, meu Irmão. Eu vim para revelar o Pai ao homem, e Eu vivo, sempre, para interceder pelo homem junto ao Pai. Eu sou o Grande Mediador entre Deus e o homem, O Homem, Cristo JESUS.

Suporta o Desprezo com Alegria 7 de abril

O DESCANSO para a tua alma está aos Meus Pés. O lugar de descanso é o lugar da humildade.

Quando te alegras em servir humildemente, quando ficas contente porque os homens te julgam mal, quando podes suportar o desprezo e o desdém com satisfação, o que, então, pode perturbar o regozijo, o descanso da tua alma?

Nenhuma inquietação pode atingir e magoar a alma que não tem sua força no ego. O ego deve ser pregado à Minha Cruz, o ego deve morrer antes de poderes verdadeiramente dizer — "Já não sou eu que vivo, mas é Cristo que vive em mim".

Pedras Removidas 8 de abril

Viram que a pedra já fora removida.

A PERGUNTA que faziam entre si mostrou-se totalmente desnecessária:

"Quem rolará a pedra da entrada para nós?"

Sempre que Meus seguidores, cheios de vontade, saírem para prestar-Me serviços de amor, encontrarão removidas as pedras das dificuldades e dos obstáculos.

Aquelas mulheres fiéis dirigiram-se ao sepulcro com óleos e aromas que haviam preparado.

Vem também tu, com teus aromas de Amor, prestar-Me o teu serviço, e descobrirás que Alguém se antecipou a ti. Estou sempre ansioso no Amor para servir-te.

Vida Gloriosa — 9 de abril

Se pelo Espírito fizerdes morrer as obras do corpo, vivereis.

ESSE é mais um passo no caminho para o Meu Reino. A carne não deve proporcionar-te prazer que não seja controlado, sempre submissa ao Espírito.

O Meu Silêncio junto à coluna da flagelação e diante dos escárnios, insultos e golpes não representou outra coisa senão a sujeição suprema da carne. Foi essa sujeição total que antecipava um Corpo Ressuscitado.

A fé na Ressurreição não é uma questão de crença em Mim e no Meu Poder operando um milagre; é uma fé em Mim e em Meu Poder levando à sujeição absoluta do corpo.

Um corpo sob total controle do Espírito *é* um Corpo Ressuscitado. Entende assim a importância da autodisciplina.

Liberta-te　　　　　　　　　　　　　　10 de abril

NÃO MANDEI nenhum discípulo levar Meu Poder de Cura à filha possessa da mulher siro-fenícia, ao criado do centurião ou ao filho do administrador. A Minha Palavra foi suficiente.

Tudo o que Eu precisava era a fé do suplicante. Não consegues compreender isso?

Aprende a compreender e a perguntar mais a Meu respeito. Se não fizeres isso, as amarras dos outros serão responsabilidade tua.

Livra teu corpo de todos os laços. Lembra-te da trave e do cisco.

Quando retiras o defeito (a trave) do teu olho, o que te possibilita remover o cisco do olho do teu irmão, e levas o teu corpo à sujeição, disciplinando-o totalmente, adquires o poder de livrar o teu irmão dos laços que o prendem à doença.

Alegria da Páscoa　　　　　　　　　11 de abril

AMA e Ri. Para o mundo, um semblante triste e um espírito deprimido representam um Cristo enterrado. Se queres convencer os homens de que Eu sou o Ressuscitado, deves viver teus dias com a alegria da Páscoa. Deves provar com tua vida que és Ressuscitado Comigo.

Os homens não conhecerão a Minha vitória sobre a morte através dos argumentos dos teólogos, mas da vida dos Meus seguidores, Meus seguidores Ressuscitados. Se ainda vestes as mortalhas da tristeza e da depressão, do medo e da pobreza, os homens pensarão que ainda estamos enterrados.

Não, vive no Espírito do Jardim naquela manhã de Páscoa. Para ti também revolverei a pedra do sepulcro. Caminha livre Comigo no Jardim, no Jardim do Amor, da Alegria, da Fé sem limites, como a fé da criança — o Jardim dos Deleites.

Deleites Merecidos 12 de abril

É MEU Prazer esperar-te.

O Convívio Comigo, associado ao descanso da alma que ele propicia, é demasiadas vezes sacrificado com pedidos.

Alegra-te durante algum tempo permanecendo em silêncio em Minha Presença. Absorve o Poder Espiritual que te fortalecerá para derrotar as fraquezas que tanto deploras.

A vida em Mim é uma vida de pura luminosidade.

Vida eterna é a Vida renovada por Águas Vivas.

Não há estagnação no Meu Reino, naquele lugar preparado para os corações que Me amam.

É um lugar de Deleites Merecidos.

Pede o que quiseres. É teu.

Ajudante do Céu   13 de abril

TALVEZ não seja à *tua* necessidade que procuro atender num determinado momento, mas a de outra pessoa através de ti.

Lembra-te do que Eu disse: são recipientes vazios que Eu encho, é em mãos abertas que deposito Minha provisão.

Muitas vezes os Meus seguidores estão tão ocupados agarrando-se às suas posses absurdas que não têm mãos para receber as dádivas preciosas, os dons necessários, que estou esperando para entregar-lhes, e através deles, para outros.

Ajuda a todos a ver a vida maravilhosa que poderia abrir-se diante deles. Ser ajudante do Céu é a missão que atribuo a cada seguidor Meu.

Podes Fazer Isso   14 de abril

EU TE darei repouso.
Presente Meu, verdadeiramente, mas resultado da tua confiança.

Treina-te a confiar tão completamente, que nenhum abalo, seja de dúvida ou de medo, possa desestabilizar-te.

Nenhum medo do futuro, nenhuma nuvem sobre o presente, nenhuma sombra do passado.

Quando o destemor resulta da força para a caminhada, acumulada pelo contato Comigo e pela confiança absoluta na Minha Brandura e no Meu Poder, tens o *Meu Presente de Repouso*.

O Caminho Iluminado   15 de abril

A TUA Fonte de alegria é imutável. As esperanças do mundo estão todas depositadas nas coisas materiais; quando essas acabam ou mudam, a alegria se dissipa, a esperança se extingue, somente a noite escura permanece.

Dirige palavras de conforto a essas pessoas. Fala-lhes do Meu Amor que te envolve, do Meu Poder protetor que é teu. Dize-lhes que não decepciono a ninguém que confia em Mim. Que podes respirar na coragem da Minha Presença como respiras o ar.

Dize ao mundo: Para aquele que percorre Comigo uma estrada desolada, arbustos ressequidos florescem como rosas e a vida se banha na alegria iluminada pelo sol irradiante.

Recuperação do Controle   16 de abril

Assumam o controle.

O HOMEM perdeu o controle porque deixou de seguir a orientação do Meu Espírito. O homem não foi criado para conduzir-se sozinho. Meu Pai o criou como corpo, mente e espírito.

Os sentidos lhe foram dados para ligá-lo à terra e para estabelecer e manter contato com o mundo à sua volta. Mas o espírito era definitivamente seu elo de ligação para receber orientações e instruções procedentes do Meu Reino.

O homem é uma alma perdida até criar esse vínculo, assim como o é um homem cego, surdo e mudo num mundo orientado pelos sentidos. Essa foi a queda do homem. Ele tinha esse poder e o perdeu.

Novas Belezas — 17 de abril

A VIDA tem muitas lições a ensinar-te. Talvez sejas incapaz de transitar por teu mundo material. Para o teu espírito, porém, existem reinos vastos e belos onde sempre podes viajar, ampliar teus conhecimentos e, com entusiasmo sempre maior, descobrir novas belezas de Verdade Espiritual.

Mosaico de Deus — 18 de abril

A VIDA é uma jornada. Cabe a ti escolher quem será teu guia. Feita a escolha, e seguro de teres entregue teu destino a Mãos confiáveis, não estragues tua jornada frustrando os planos feitos para o teu conforto e felicidade.

Alegra-te com os planos que fiz para ti. Nenhum detalhe foi insignificante para a Minha ponderação amorosa. Tua vida é realmente conduzida por Deus, por isso ela te propiciará imensa felicidade e sucesso.

Quanto maior for a confiança que depositares em Mim, mais facilmente concretizarei os planos que preparei para ti.

A vida é um mosaico planejado por Deus. Cada pensamento dirigido a Deus, cada impulso e cada ação são necessários para executar o projeto perfeito.

Esse projeto é primoroso em todos os seus detalhes.

Controlado pelo Amor 19 de abril

VIVE no Meu Amor.

Volta sempre a Mim para reabastecer-te, para que tua alma possa inalar e exalar Amor, do mesmo modo que os teus pulmões inspiram e expiram ar.

Não há nada em ti que gere Amor. Como podes, então, dar Amor se não recebes Amor?

Para ser realmente eficaz e ter valor permanente, todo serviço precisa ser prestado com Amor. Onde há Amor, o ego perde sua força de controle; o ego anula o bem inerente ao serviço.

Conscientiza-te de Mim e da Minha solicitude por ti no teu dia a dia. Assim, sensível ao Meu Amor, tu O absorverás até que ele inunde todo o teu ser, inspirando e iluminando tudo o que fizeres e disseres.

Guerra Jubilosa   20 de abril

VIVE uma vida à parte Comigo. No mundo, mas não do mundo. Podes fazer isso mesmo em meio à multidão, desde que o ego não interfira.

É sinal de progresso não condescenderes com insinuações do ego e então vires a Mim esquecido totalmente de ti.

Tua vida deve ser de serviço intenso e de consagração total. Tua guerra não se desenvolve no mundo, mas no plano invisível, definitivamente uma guerra contra os principados e as potestades. Não obstante, uma guerra jubilosa.

"Sempre em Conflito"   21 de abril

Senhor, convida-me a ir ao teu encontro sobre as águas.

"VEM."
Tudo o que Eu fiz quando estava na terra continuo fazendo hoje no reino do Espírito.

Meu servo Paulo entendeu essa mensagem quando disse que Eu sou o mesmo ontem, hoje e sempre.

Quando o menor dos temores te perturba, quando percebes a perda da alegria do Espírito, é sinal de que estás vendo as ondas e sentindo o vento contrário.

Então gritas, "Senhor, salva-me, que pereço".

Eu estenderei a Minha Mão para te salvar, do mesmo modo que ela salvou o Meu Pedro medroso e vacilante.

A Luz Vem   22 de abril

"SENHOR, mostra-Te a mim" é um pedido que jamais deixa de receber uma resposta.

A revelação não se dá à visão física, mas à percepção espiritual, à medida que compreendes cada vez mais o Meu Amor, o Meu Poder e as muitas qualidades do Meu ser.

Qualidades como Humildade, Majestade, Brandura, Severidade, Justiça, Misericórdia, Cura de feridas doloridas e Fogo consumidor.

O homem recorre a livros, estuda teologia, procura em outros homens a resposta para os mistérios da vida, mas não recorre a Mim.

Tens algum problema?

Não te preocupes com sua solução.

Procura-me. Vive Comigo. Fala Comigo. Permanece em Minha companhia, o dia todo, cada instante. *De repente, eis que me vês.*

Palavras de Vida　　　　　　　　　23 de abril

Senhor, Tua Palavra permanece e guia os nossos passos.

GUARDA as Minhas Palavras no teu coração. Elas atenderão à tua necessidade *hoje* tão seguramente como atenderam às necessidades daqueles a quem as dirigi quando Eu estava na terra, pois não foram ditas no tempo, mas na Eternidade.

Se o Meu presente para o homem é a Vida Eterna, então as palavras inspiradas por essa Vida são eternas, apropriadas às tuas necessidades hoje como foram então.

Mas as palavras e orientações não são para todos; são para aqueles que ACEITAM MEU excelso presente da Vida Eterna.

"A Vida Eterna é esta: que eles te conheçam a Ti, o único Deus verdadeiro, e aquele que enviaste, Jesus Cristo."

"Senhor, Usa-me, Eu Te Suplico"　　　24 de abril

EU TE USAREI quando dissipares o ego e Me ofereceres uma personalidade consagrada, feita à Minha Imagem.

Não há limites para o Meu poder de usar-te. Nada Me é impossível. O Meu Amor é ilimitado, a Minha Brandura é ilimitada, a Minha Compreensão é ilimitada.

Cada atributo da Divindade é absoluto, inexaurível, algo que só consegues ver indistintamente.

Tuas Limitações 25 de abril

AS COMUNICAÇÕES que te faço indicam etapas no Progresso Espiritual.

Não existem limites para o Poder do Espírito que podes possuir quando expulsas o ego e aceitas a Minha Vontade.

Para aqueles que se entregam totalmente a Mim, porém, *existem* limitações quanto às questões materiais, pois a eles está destinado apenas o que contribui para o desenvolvimento ou para a manifestação Espiritual. No entanto, todas as suas necessidades serão supridas.

Trabalho Inútil 26 de abril

Mestre, trabalhamos a noite inteira sem nada apanhar.

HAVERÁ noites de muita angústia, noites em que trabalharás intensamente e não conseguirás nada.

Haverá manhãs de grande regozijo, quando o resultado das tuas orações e anseios será tão admirável que te fará ajoelhar-te com a humildade que nasce do assombro da realização plena — "as redes se rompem".

Divide a solidão Comigo — o cansaço, a tristeza, tudo Comigo, como Eu divido tudo contigo.

Acolhe a Todos   27 de abril

O NÚMERO daqueles que enviarei a ti em busca de ajuda será cada vez maior. Não tenhas medo. Não duvides da tua capacidade de ajudá-los. A Minha Sabedoria os ajudará, não a tua.

Derrama Amor sobre todos. O que puderes fazer pelo próximo jamais será demasiado. Alegra-te com a Minha Palavra, com o Meu Amor.

À medida que te tornares mais consciente desse Amor, sentirás cada vez mais a responsabilidade que te foi dada de tornar esse Imenso Amor do Meu Coração aflito conhecido daqueles por quem Eu morro e por quem Eu sempre vivo para ser seu intercessor.

Asas Protetoras   28 de abril

MEU filho, estás cansado com a carga e o calor do dia.

Descansa um pouco, Eu estou contigo, Eu falo de paz para tua alma.

Nada receies, nada temas. Tudo está bem. O dia chegou ao fim. O trabalho foi longo e árduo, mas o descanso da noite Comigo será restaurador.

Asas protetoras do Deus Eterno — eis o que será a escuridão da noite para o teu coração.

Nas profundezas do teu coração sentes a manifestação de Verdades maravilhosas. Pálida sensação da Glória que há de se revelar.

Nenhuma Mensagem, Mas — 29 de abril

MEU filho, espera na minha Presença.
Talvez não recebas nenhuma mensagem, mas nesse tempo de espera, mesmo não tendo consciência dos ensinamentos que recebes, estás sendo transformado.

Os olhos da tua alma se fixarão em Mim e as percepções que tiveres irão tranquilizar-te, restabelecer-te e fortalecer-te.

Meu Primeiro Missionário 30 de abril

MINHAS censuras eram para os que estavam satisfeitos consigo mesmos.

Para o pecador que reconhecia suas deficiências e fraquezas, Eu manifestava a Minha compaixão mais amorosa. "Vai, e não tornes a pecar", foram as Minhas Palavras para a mulher surpreendida em adultério.

Palavras repletas de esperança, revelando toda a Minha confiança de que ela não voltaria a pecar, de que poderia assumir uma nova vida.

À mulher samaritana junto ao poço de Sicar confiei um segredo que nem mesmo aos Meus discípulos revelei por inteiro. Ela foi um dos Meus primeiros missionários.

Eu senti o imenso amor na oferenda da mulher pecadora. Seu pecado não foi denunciado publicamente, nem seu amor foi rejeitado.

*"Pai Santo, ilumina o nosso caminho
Com o raio eterno do Teu amor;
Concede-nos ao fim de cada dia
Luz ao anoitecer."*

MAIO

Doação Generosa — 1º de maio

NÃO deves perguntar o que ganhas em qualquer dada situação, mas o que podes dar. Segue a Mim, de Quem se disse, "Nem mesmo Cristo agradou a Si mesmo". Ama, ajuda e serve desse modo.

Procura os fracos e errantes. Zela por todos.

Conscientiza-te da minha generosidade transbordante e excelsa. Os estoques do Senhor são inexauríveis. Mas, para conhecer e provar a Minha generosidade plenamente, tens de ser generoso.

Os que Me amam dão com mãos magnânimas. Um coração agradecido pelo que recebeu prodigaliza com alegria o que tem.

Paz para Tua Alma — 2 de maio

Deixo-vos a minha paz, dou-vos a minha paz.

EU SABIA que somente na Paz Minha obra poderia ser realizada. Somente na Paz os Meus seguidores poderiam atrair as almas a Mim. Conserva essa Paz a todo custo. Se o teu coração se mantiver em paz, teus pensamentos serão uma força poderosa para MIM.

Confia na minha direção. Nada Me é impossível.
Expectativa ilimitada a tua. Poder ilimitado o Meu.

Atividade Inútil — 3 de maio

MEUS seguidores são muito negligentes com o tempo de preparação, por isso têm pouca energia para realizar o Meu trabalho.

Modificar as leis de um país não é remédio eficaz para o mal. É o contato Comigo que modifica o coração do homem.

Lembra-te das lições que te ensinei sobre a atividade inútil. Quando o trabalho pede para ser feito, esse é realmente o momento — não para apressar-te, mas para Unir-te a Mim e ao Meu Pai.

Não te sintas forte por ti mesmo. Somente com a Minha Força podes realizar tudo. Nenhuma montanha de dificuldade pode então ser intransponível ou inabalável.

Oferenda Aceitável — 4 de maio

REPOUSA em Meu Amor. Permanece em Mim.
Abandona tudo para Me seguir — teu orgulho, tua autossuficiência, os medos do que outros possam pensar — Tudo.

Não tenhas medo. Aventura-te pelo desconhecido Comigo, nada temendo com escolha tão segura.

Como uma flor oferecida à pessoa amada, assim é o teu tributo de amor a Mim.

Como Maria fez sua oferenda de Amor, perfume de nardo puro, oferece-Me também tu teu amor e compreensão.

Canais Perigosos 5 de maio

"SENHOR, que eu seja um canal para o Teu Grandioso Poder."

Primeiro esse Grandioso Poder deve te sustentar.

Para ser usado, ele precisa de uma vida consagrada.

O fluxo do Meu Poder por canais errôneos causa danos. Isso não pode acontecer.

A imperfeição do canal contamina o fluxo do Espírito.

Clareira Fértil 6 de maio

Procurai e achareis.

COMO a mãe que brinca de esconde-esconde com o filho se coloca num lugar onde ele possa achá-la, assim acontece Comigo. Por isso, o anseio de encontrar a Mim e aos tesouros do Meu Reino nem sempre garante o resultado. Muitas vezes o encontro depende da simples decisão de te pores a buscar.

Isso te consola?

Quando te propões a buscar-Me, Eu Me ponho no teu caminho, e a vereda da oração, às vezes árida, se transforma em clareira fértil onde ficas surpreso ao constatar que chegaste rápido ao fim da tua busca. Então, a Alegria é mútua.

Nuvens e Chuva 7 de maio

VÊ a Minha bondade nas nuvens e na chuva, e também na luz do sol da vida. Ambos expressam maravilhosamente a bondade e o amor do teu Senhor.

Do mesmo modo que a clareira sombreada, que a margem fria do rio, que o cume da montanha, que o asfalto abrasador, tudo atende às necessidades variadas do homem.

O Rebotalho e o Ouro 8 de maio

COMPARTILHA tua Alegria Comigo.
Fala-Me de tudo o que te alegra ao longo do dia. Eu estou perto para ouvir. Conscientiza-te de que somente Eu compartilho totalmente as vibrações do teu coração, porque Comigo nenhum sucesso teu produz arrependimento nem é afetado pela inveja.

A Minha Alegria e o Meu sucesso não são alcançados somente em Mim e através de Mim?

Compartilha tudo Comigo. A decepção, não só com relação aos outros, mas ainda mais profundamente com relação a ti mesmo. Compartilha teu retrocesso como também teu progresso.

Traze tudo para Mim; juntos, amorosamente, podemos separar o rebotalho do ouro.

Volta para Mim, sempre convicto de ser bem recebido, sempre feliz de sentir a Minha Presença em ti e em torno de ti.

Invoca-Me com Frequência   9 de maio

REPETE o Meu Nome com frequência ao longo do dia. Ele tem o poder de repelir o mal e de aproximar Deus.

JESUS.

Em Mim está a plenitude de Deus; por isso, quando Me invocas, chamas em teu auxílio tudo o que há de Bom.

Fala Comigo   10 de maio

FALA Comigo sobre a incompreensão do mundo a Meu respeito. Dize-Me que o teu Amor procurará consolar-Me por isso. Dize-me que dedicarás tua vida a promover a compreensão entre Mim e aqueles que não Me amam.

Assim como alguém que sabe que a pessoa amada foi condenada erroneamente dedica toda sua vida à reabilitação do nome dessa pessoa, e não leva em conta todas as provações e dificuldades, incompreensões e sofrimentos que encontra ao assim proceder para alcançar seu objetivo — do mesmo modo deve ser contigo, ansiando por tornar-Me conhecido.

Exigências Maiores   11 de maio

À MEDIDA que tua fé em Mim aumenta e tua esfera de influência se amplia, tuas exigências serão maiores. No entanto, nenhuma necessidade real tua deixará de ser atendida.

Farás exigências maiores, e cada vez mais confiarás em Mim para que supra teus pequenos desejos. Essa confiança se manifestará à medida que compreenderes mais o Meu Poder, sentires mais o Meu Amor e tiveres consciência da atenção solícita desse Amor a cada detalhe da tua vida cotidiana.

"Regozija-te"; repito, "Regozija-te".

Como acontece com relação a um amigo humano que amas, um presente precioso pode ser considerado como prova de grande afeto, mas amor ainda maior está na antecipação de pequenos desejos, na solicitude que se revela em pequenas coisas.

Regozija-te no Meu Amor, que assim se manifesta.

Senhor da Alegria   12 de maio

A ALEGRIA INDIZÍVEL, Cristo, ofereceu-se a Si Mesmo para reconhecimento jubiloso.

Essa é uma etapa além no desenvolvimento.

Entras nela quando compreendes que Eu fui a expressão no tempo da Alegria de toda a Eternidade. Eu ofereci essa alegria a todos os que veriam o Meu caminho como o caminho da Alegria e que Me aclamariam, não apenas como o Homem das Dores, mas também como o Senhor da Alegria.

Essa verdade se manifesta somente àqueles que aceitam de coração aberto essa ALEGRIA extraordinária, sustentadora, reveladora.

Vias Principais e Vias Secundárias   13 de maio

A VIA para a Santidade é diferente para cada um dos Meus seguidores, pois diferentes são as personalidades. O que prescrevo para ti não é necessariamente o que determino para outro.

Meus seguidores esquecem isso seguidamente. Como posso ter-lhes dito para seguir um determinado caminho, eles não têm dúvidas de que deves fazer o mesmo percurso.

Não lhes dês atenção. Lembra-te também de que uma forma de disciplina para ti pode não ser a Minha vontade para outro.

Foste Advertido — 14 de maio

JEJUAR é matar o ego de fome. Nem sempre jejuar significa deixar de ingerir alimentos. Mas é um elemento essencial, absoluto, do progresso na vida Comigo.

Não existe isso de estacionar na vida cristã. Não havendo progresso, há retrocesso.

Eu te redimi. Eu te resgatei da escravidão do pecado, de qualquer espécie.

Assim, quando a fraqueza te domina e cedes à tentação, transformas a Minha Redenção em escárnio.

Absorve Esta Verdade — 15 de maio

MUITOS retardam seu trabalho para Mim apresentando justificativas. Lutas por Cristo Rei, não por ti mesmo. A explicação ou justificativa deve ser dada a Mim.

Diante de qualquer dificuldade com o outro, coloca-te no lugar dele, e reza para que ele possa resolvê-la.

Essa atitude trará uma solução para os teus problemas e te ajudará a ver melhor aquilo pelo qual deves rezar.

A capacidade de compreender as necessidades daqueles com quem entras em contato só pode ser adquirida absorvendo simpatia e compreensão da Minha Vida. Assim, o tempo para Me conhecer deve ser cada vez mais precioso e necessário para ti.

Tua missão é mostrar o Poder do Meu Espírito operando através de uma vida de vontade submissa, e a Alegria que transforma a vida quando isso acontece.

Corações Famintos 16 de maio

Veríamos Jesus.

ESTE ainda é o grito de um mundo faminto, insatisfeito, buscador.

Eu me dirijo aos Meus seguidores para ouvir esse grito.

Sê um reflexo de Mim, para que os que buscam Me encontrem em ti, e então prossigam em Minha companhia.

Alegra-te com isso como João alegrou-se quando Me apontou para seus discípulos com palavras corajosas e humildes, "É necessário que ele cresça e eu diminua".

Adiante sempre, com Fé, Alegria e Amor.

Meu Mensageiro Precede 17 de maio

QUANDO pensas em Mim como teu Libertador, lembra que o resgate não é apenas do pecado, da depressão ou do desespero.

É também das dificuldades da vida e da perplexidade diante do caminho. Eu resolvo os teus problemas. Eu ofereço o canal através do qual o auxílio pode chegar.

Eu envio o Meu mensageiro para preparar o teu caminho adiante de ti. Eu te treino para que estejas preparado para a próxima missão, para que sejas digno da proteção que Eu prometi, da Bênção que anseio por derramar sobre ti.

Luz de Cura 18 de maio

ONDE quer que Meus seguidores estejam, *ali* a Minha Luz os envolve. A Luz do Sol da Retidão.

O mal não consegue viver nessa Luz.

O homem está apenas começando a aprender que essa luz dissipa a doença.

Todo seguidor Meu que está em contato pessoal íntimo Comigo fica envolvido por essa Luz. Luz Eterna. Luz refletida pela consciência da Minha Presença.

Por isso, quer fale ou não, ele deve irradiar a Minha Luz, onde quer que esteja, aonde quer que vá.

Vida Organizada 19 de maio

NÃO poderás realizar bem o Meu trabalho e exercer uma influência eficaz se a tua vida não for organizada. Seja esse o teu objetivo e a tua conquista.

Assegura essa organização e farás muito pelo Meu serviço. Sem precipitação ou agitação, refletirás melhor a ordem e a beleza do Meu Reino.

Precisas dessa disciplina na tua vida.

A paz é resultado de uma vida organizada vivida Comigo.

Prepara-te para cada tarefa, para cada ocasião. Reza por aqueles que encontrarás, pelo tempo que passarás com eles.

Essa preparação e oração irão evitar a discórdia e favorecer o trabalho e o planejamento. Em cooperação com os outros, produzirás frutos em abundância.

Ondas do Espírito 20 de maio

FOSTE orientado a terminar toda oração com um hino de louvor.

Esse hino de louvor não é apenas fé elevando-se através das dificuldades para Me saudar. É bem mais do que isso. É o reconhecimento da Alma de que a Minha Ajuda já está a caminho.

É o eco em teu coração do som levado pelas Ondas do Espírito.

Ele é dado aos que amam e confiam em Mim para sentir essa aproximação.

Assim, alegra-te e rejubila-te, pois verdadeiramente a tua redenção está próxima.

Preparo da Terra — 21 de maio

NA HISTÓRIA do Semeador que Eu narrei, os corações que perderam a bênção, que não produziram um bom resultado, perderam-na porque Meus servos não prepararam a terra.

Eles não cuidaram daqueles que eles procuravam influenciar contra o poder do mal e contra a dureza do coração. Eles não os fortaleceram para suportar os problemas e as dificuldades. Eles não os advertiram contra o desejo exagerado de ter e obter.

A terra do Semeador não havia sido preparada. Muita oração deve preceder a semeadura para que o trabalho não seja inútil.

Por isso, procura preparar o Meu caminho diante de Mim. Então Eu, o Grande Semeador, virei. A colheita será realmente abundante.

O Cristianismo Não Fracassou   22 de maio

OS HOMENS querem viver a Vida Cristã apenas à Luz e de acordo com os Ensinamentos da Minha Missão de três anos. Esse nunca foi o Meu Propósito.

Eu vim para revelar o Meu Pai, para mostrar o Espírito de Deus em ação no homem. Eu ensinei, não que o homem devia apenas tentar copiar Jesus de Nazaré, mas também que devia ser possuído por Meu Espírito, o Espírito impulsionando tudo o que Eu fiz, para ser inspirado como Eu fui.

Procura seguir-Me pelo Poder do Espírito interior que Eu te transmiti. Esse Espírito IRÁ guiar-te para a Verdade.

Eu disse aos Meus discípulos que não poderia comunicar-lhes tudo, mas que o Espírito os guiaria. É aí que os Meus seguidores não Me entendem. Entrega-te cada vez mais a essa Orientação do Espírito, prometida a todos, e tão pouco valorizada.

Ganhar e Dar   23 de maio

VEM, meu filho, vem e pede com alegria. Vem e obtém de Mim. Vem com os braços estendidos para receber.

E não guardes nada. Passa Meus dons adiante rapidamente para que Eu possa novamente preencher teu vazio e encher teus recipientes.

Começas a compreender esta Lei da Oferta.

O homem não entende que não é a lei exterior que rege os filhos do Reino.

Meus seguidores devem ser canais pelos quais Meus presentes chegam a outros. Não podes obter da Minha provisão e seguir os caminhos do mundo.

Sem Separação   24 de maio

Vinde a mim.

INICIALMENTE com passos vacilantes, depois, à medida que a nossa Amizade aumenta, cada vez mais ansiosamente, até que a magia da Minha Presença não só te *atraia*, mas te *ampare*, e com relutância voltes novamente às exigências e deveres da terra.

Mas, com o passar do tempo, mesmo essa relutância passa, pois sabes que não existe separação, nem mesmo passageira, nesse Convívio; porque Eu vou contigo e sempre levas as Minhas Palavras em teu coração.

Novas Tentações   25 de maio

DESCOBRIRÁS que à medida que cresceres em Graça, as forças do mal estarão mais preparadas para impedir o teu trabalho e influência.

Prossegue com cautela, com atenção.

Percebe que há sempre uma nova disciplina pronta a se tornar parte da tua armadura, pois à medida que progredires novas tentações se apresentarão.

O ar rarefeito contém perigos sutis desconhecidos no vale ou nas encostas mais baixas da montanha. Muitos discípulos falham porque não estão atentos aos perigos da montanha.

Um Dia por Vez   26 de maio

OS PROBLEMAS de amanhã não podem ser resolvidos sem a experiência de hoje.

Há um plano para a tua vida que depende do trabalho consciente de cada dia. Prejudicas esse plano se deixas a tarefa de hoje inacabada, ao mesmo tempo que te agitas e te preocupas com as possibilidades do amanhã.

Jamais compreenderás a Lei da Oferta se agires desse modo. Compreender essa Lei é a lição do momento.

Morada da Alegria   27 de maio

NÃO podes confiar na Minha provisão?
Tudo é teu. Poderia Eu planejar a tua jornada, o teu modo de viver, o teu trabalho, e não levar em conta os custos?

Não podes confiar em Mim nem mesmo como confiarias num amigo terreno? Vive no Meu Reino e então a provisão do Reino será tua.

Eu gostaria que conhecesses a Glória de uma vida protegida por Deus.

Nenhuma pressa inútil e infrutífera criando tumulto.

As tempestades podem se enfurecer, as dificuldades esmagar, mas não conhecerás danos... salvo, protegido e guiado.

O Amor desconhece o medo.

Solicitude com Todos — 28 de maio

OBSERVA a Minha liberalidade superabundante e irresistível. Os estoques do Senhor são inesgotáveis, mas para provar a Minha generosidade ao máximo deves ser generoso.

Os que me amam dão com mãos liberais.

Cuidados que Recebem Atenção — 29 de maio

Entrega a Ele todos os teus cuidados, pois Ele cuida de ti.

PALAVRAS preciosas. O cuidado, a atenção e o Amor que as inspira estão todos indicados aqui, como também a provisão mais generosa.

Essas palavras não dizem que deves simplesmente livrar-te das tuas preocupações, praticamente esquecendo-as, mas que deves entregá-las a Deus. Isso é diferente: elas serão levadas em conta.

As dificuldades serão removidas, os erros corrigidos, as fraquezas reparadas, as doenças curadas, os problemas resolvidos.

Ver com Clareza   30 de maio

O TEU poder de ajudar o teu irmão não depende dele: esse poder está em tuas mãos. A condição é que tires a trave do teu olho.

Não ataques os defeitos do teu irmão, mas os teus. Extirpando teus defeitos, descobrirás onde o teu irmão precisa de ajuda e adquires o poder de dar-lhe essa ajuda para que ele possa vencer e erradicar os dele.

À Minha Semelhança   31 de maio

"MUDADO... de Glória a Glória." Mudado de caráter a caráter. Cada mudança representando, por assim dizer, um marco no Caminho Espiritual.

A Beleza da paisagem que vês a distância é a materialização das Minhas qualidades, a Minha Glória, em direção à qual, com passos variados, avanças de hora em hora.

O modo de garantir um avanço melhor é manter o teu olhar fixo no objetivo. Não na estrada que percorres, seguramente não no trajeto que percorreste. Teu objetivo é aquela Glória ou Caráter que vês cada vez mais claramente em Mim, teu Senhor e Mestre.

"Ainda não aparece o que serás, mas sabe que quando Eu aparecer (isto é, para ti, à tua vista, quando Me vires), tu serás como Eu, pois me verás como Eu *sou*."

JUNHO

Confiança 1º de junho

A MUDANÇA de caráter resulta de fazeres a Minha Vontade nas ocasiões em que não vês uma Visão nem ouves uma Voz.

Nunca abandones o caminho da observância estrita de tudo o que te foi recomendado fazer quando Me viste e Me falaste no Monte. Se abandonares esse caminho, correrás grande perigo.

Esses dias vazios são dias para prática. As dificuldades aparecem, o insucesso parece inevitável. Mas tudo é necessário para que aprendas a adaptar a tua vida ao ensinamento que te dei, para que percebas tua fraqueza, desenvolvas a obediência e a perseverança, sem esperar mais instruções e inspiração.

Persevera com paciência. Eu te guio silenciosamente, pois estou contigo mesmo quando não percebes a Minha Presença.

Tua fé aumentará com a confiança que resulta da experiência.

Liberta-te   2 de junho

Vinde a Mim... e eu vos darei descanso.

DESCANSA em meio ao trabalho. Descansa o teu coração no conhecimento do Meu Poder protetor.

Sente esse descanso insinuando-se em teu ser. Inclina teu ouvido e vem a Mim, ouve, e tua alma viverá. Aumenta tua força, não tuas preocupações.

Não permitas que as dificuldades da vida, como ervas daninhas, abafem o descanso da tua alma, abafem e prendam a liberdade sublime do teu espírito.

Eleva-te acima desses liames terrenos em direção a uma vida nova, abundante e vitoriosa. Eleva-te.

Louvor por Tudo   3 de junho

A CONFIANÇA deve ser o acorde final de cada contato entre ti e Mim. Confiança jubilosa. Deves terminar com a nota da Alegria.

A união entre Mim e uma alma só se dá em sua total beleza e plenitude quando a alma expressa louvor em cada incidente.

Ama, ri e Me agradece o tempo todo.

Investiga   4 de junho

CONSIDERA as Verdades do Meu Reino dignas de muita pesquisa, de muito sacrifício. Escava fundo. Escava, trabalha, afadiga-te.

Acima e abaixo do material sempre presente deves procurar Meu Tesouro Oculto. O que influenciará outras vidas não é o que dizes, mas o que sentes.

Meu Espírito comunicará isto para ti e também para os que estão ao teu redor. Por isso, pelo bem deles, investiga.

Investiga Ainda Mais   5 de junho

EXAMINA a ti mesmo. Pergunta-Me e Eu te mostrarei o que fazes de errado — desde que ouças com humildade e estejas irrestritamente determinado a fazer a Minha Vontade.

Alegrias Verdadeiras   6 de junho

CONTINUA em Meu Amor. Nada busques para ti mesmo, somente o que podes usar para Mim. Conta Comigo para tudo. Sê manso, não apenas Comigo, mas também com os outros. Ama para servir. Não tenhas medo. Procura ser autêntico em tudo. Enche-te de Alegria.

O mundo quer ver Alegria, não no frenesi dos prazeres e dissipações mundanas, mas na beleza da Santidade.

No êxtase da segurança serena Comigo. Nessa vibração da aventura, Meus seguidores verdadeiros sabem; na satisfação que a conquista de si mesmos propicia.

Que o mundo veja que és firme, inamovível.

Retira o Ferrão da Vida   7 de junho

SUBMETE-TE totalmente ao Meu Controle, à Minha Realeza; então o ferrão será extraído das rejeições da vida.

Recebe cada contato como parte do Meu plano. Prepara-te para ampliar o teu círculo de influência segundo o Meu desejo. Que a idade ou outras limitações não te desanimem.

Confia em Mim. Não sei julgar tua aptidão para a tarefa que te atribuo? Não tenho Amor por teus amigos como tenho por ti?

Não questiones as Minhas decisões. Tudo está planejado no Amor por todos os Meus filhos. Somente a obstinação pode impedir a realização do plano concebido com a inspiração divina.

Trabalha contente, sabendo que toda sabedoria necessária será providenciada, e também todo material necessário para realizar a Minha Obra.

Juventude Perene 8 de junho

TUDO está bem perdido, tudo está bem abandonado... Descansa Comigo.

Desses tempos emerges fortalecido, satisfeito, cheio de Alegria Vivificante — a Alegria que só encontras Comigo, o Cristo propiciador de Alegria.

Deixa que os outros percebam essa Alegria. Mais do que qualquer palavra, ela lhes mostrará o ganho inestimável da vida Comigo.

Descobrirás de fato que no Meu Reino, no Meu Convívio, não existe idade.

Recolhido 9 de junho

NÃO consideres estes dias como perdidos.

Mesmo nesta vida aparentemente estreita, tens incontáveis oportunidades para conquistar a ti mesmo. Não há tarefa maior do que essa.

Eu preservo os que desejam ardentemente ser Meu reflexo, pois em meio ao alvoroço da vida e na convivência com os outros há sempre o perigo de que o ego assuma o comando.

Durante certo tempo, até que o ego seja conhecido e conquistado, também tu deves recolher-te no deserto.

Estás aprendendo muito; Eu sou teu Professor.

Vem Comigo para um lugar deserto e descansa um pouco.

Tu Te Lembras? 10 de junho

CULTIVA o hábito de pensar em Mim. Deus está em toda parte. Minha Presença está sempre Contigo, mas a lembrança traz a consciência dessa Presença e amizade íntima.

Relembra intencionalmente algum evento da Minha vida, algum ensinamento Meu, algum ato de amor. Assim Me imprimirás em teu caráter e em tua vida.

O teu aprendizado e as tuas realizações não têm valor sem a Minha Graça, que é suficiente para ti. Deixa o planejamento Comigo. Deixa que Eu abra ou feche o caminho.

Predispõe-te para tudo o que estou preparando para ti.

Obediência Simples 11 de junho

Senhor amado, ensina-me a obedecer-Te em todas as coisas.

TU és Meu, com o compromisso de servir-Me.
Cada desejo teu foi antecipado. Olha para trás e observa como cada um dos teus fracassos aconteceu porque não obedeceste às instruções que Eu te dei para preparar-te para aquela determinada tarefa ou provação.

Ouvir a Minha Voz implica obediência. Sou um Senhor amoroso, mas também um Capitão cujas palavras devem ser levadas a sério.

És um voluntário, não um recruta, mas se esperas os privilégios inerentes ao Meu Serviço, precisas prestar-Me a obediência exigida por esse serviço.

O caminho da obediência pode parecer difícil e assustador, mas a segurança da Minha vida ordenada só pode ser conhecida por uma alma treinada. Marcha com teu Capitão, no mesmo passo.

Renovação Espiritual — 12 de junho

SÃO TEUS os toques profundos e vivificantes do Meu Espírito. Pensa na aridez, na sede, insaciável até que o insatisfeito ser esteja envelhecido.

Podes ajudar o homem de forma melhor do que provando-lhe que as águas purificadoras do Meu Espírito têm o poder de arrastar tudo o que impede o crescimento e de saciar completamente a sede da sua natureza?

Vencer o Medo — 13 de junho

NÃO é o pensar em Mim, mas o permanecer Comigo que gera o destemor perfeito.

Não existe medo onde Eu estou. O medo foi vencido quando Eu derrotei o poder satânico. Se todos os Meus seguidores soubessem disso e o afirmassem com convicção absoluta, não haveria necessidade de forças armadas para combater o mal.

A Alma Restabelecida 14 de junho

NÃO te aflijas se, depois de passar algum tempo Comigo, não consegues repetir para ti mesmo todas as lições que aprendeste. É suficiente teres permanecido Comigo.

Precisas conhecer a história das plantas ou das árvores para desfrutar o espaço ao ar livre? Inalaste ar puro e te recuperaste com a beleza da paisagem. Basta por hoje. Assim também estiveste na Minha Presença e encontraste repouso para tua alma.

No Vale 15 de junho

NÃO deixes que a dúvida ou o medo te assaltem ou te desanimem por causa deste tempo de angústia e sensação de fracasso pelo qual passaste. Não, era necessário que isso acontecesse.

Ação útil te espera. Antes de iniciar tão grandiosa missão, Meu servo normalmente precisa passar pelo Vale da Humilhação ou pelo deserto.

Se Eu, teu Senhor, antes de começar a Minha Missão, precisei passar pelos Meus quarenta dias de tentação, como poderias esperar enfrentar tua grande tarefa despreparado?

Precisas provar novamente a vergonha da indignidade, do fracasso e do nada antes de prosseguir Comigo na conquista.

No Egito   16 de junho

FUGA para o Egito, volta à Galileia. Essas viagens foram feitas com alegria. Elas não representaram um transtorno familiar, pois não era desejo dessa Família cumprir a Vontade de Deus?

Transtornos ocorrem quando o homem segue um determinado modo de vida e é obrigado a desistir dele.

Quando o desejo permanente é fazer a Vontade do Pai, não há mudança de fato. A saída de casa, da cidade, do país, não passa de um despir-se de uma roupa que já teve sua serventia.

A mudança só é progresso Espiritual quando a vida é vivida Comigo, o Imutável.

Trata Suas Feridas   17 de junho

ABSORVE de Mim não só a Força que precisas para ti, mas tudo o que precisas para os feridos a quem te conduzirei. Lembra que nenhum homem vive para si mesmo. Deves ter Força para os outros.

Eles se aproximarão de ti em número cada vez maior. Tu os dispensarás de mãos vazias? Absorve de Mim e não falharás com eles.

Mais Perto de Ti   18 de junho

"SENHOR, mostra-Te a mim", é um pedido que nunca deixa de ser atendido.

A percepção geralmente não chega à visão física, mas à sensibilidade espiritual, à medida que aumentas tua compreensão do Meu Amor, do Meu Poder e das múltiplas virtudes do Meu caráter — sua humildade, Majestade, brandura, firmeza, justiça, misericórdia, cura e fogo consumidor.

Aproxima-te de Mim e eu Me aproximarei de ti.

Meu Poder de Cura   19 de junho

QUANDO a vida é difícil, relaxa totalmente; dorme ou descansa com confiança consciente no Meu Poder de Cura.

Esforça-te para que outros não te vejam de outro modo senão descansado, forte, feliz e alegre.

Antes de ir ao encontro de outras pessoas, procura recompor-te em Meu Lugar Secreto.

Tuas lágrimas e preocupações devem ser divididas apenas Comigo.

Que a Minha bênção esteja contigo.

Águas Vivas   20 de junho

BEBE da água que Eu te darei; nunca mais terás sede. Eu te conduzirei para junto das águas do consolo.

Eu te darei água viva.

Bem-aventurados os que têm fome e sede de justiça.

"Como a corça anseia pelas águas correntes, assim minha alma suspira por vós, ó meu Deus."

Essa é a sede que não deixará de ser saciada.

A Ajuda é Tua   21 de junho

RECORRE a Mim com frequência. Não *implores* muito, mas *reclama* Minha Ajuda como direito teu.

Ela é tua em nome da Amizade. Exige-a com insistência obstinada. Ela é tua.

Não tanto Minha para dá-la a ti, mas tua; tua porque está incluída no Grande Presente de Mim Mesmo que Eu te dei.

Um Presente que tudo envolve, um Presente maravilhoso. Pede-o, aceita-o, usa-o. Tudo está bem.

Direito de Entrada   22 de junho

PERMANECE na Minha morada, assegurando assim aos que amas o direito de entrar.

Se os pensamentos deles te seguirem como amigo humano e apoio, eles serão atraídos a Mim, com quem vives, em pensamento e mais tarde em amor e anseio.

Cada Necessidade Atendida — 23 de junho

EM VEZ de pressionar os homens a Me aceitarem como isto ou aquilo, descobre antes a necessidade, e em seguida representa-Me como Aquele que atende a essa necessidade.

Um homem pode não sentir a necessidade de um Salvador, querendo apenas um Amigo. Revela-Me como o Grande Amigo. Outro pode não precisar de orientação, desejando apenas ser compreendido. Representa-Me como o Cristo Compreensivo.

Ajuda-Me a satisfazer a cada necessidade do mesmo modo como atendo às tuas.

Prazer no Serviço — 24 de junho

A TUA vontade, o teu desejo, deve ser fazer a Minha Vontade, desejando-A, amando-A, como uma criança que abraça um tesouro junto ao coração. Abraça assim a Minha Vontade.

Encontra teu deleite Nela. "Senhor, o que queres que eu faça?" não é uma pergunta de um servo mal-humorado. É o apelo ansioso de um amigo, que vê toda a vida como uma aventura gloriosa, com o entusiasmo de um jovem autorizado a participar da busca de um pesquisador.

Introduz o prazer irreprimível em tudo o que fizeres.

Escada da Alegria   25 de junho

VÊS em tua vida motivos para louvor ou oração. Tu louvas ou oras. Teu coração se eleva assim ao Eterno, à Minha Presença.

Depois disso, a labuta enfadonha, o corriqueiro, o esperar monótono deixam de ser algo insípido a ser suportado. Essas coisas se tornam a escada pela qual sobes a Mim.

Podes então sorrir para essa escada. Aceitá-la. Ela é um amigo, não um inimigo. Assim acontece com tudo na vida. Cada fato, evento ou realidade terá maior ou menor valor na medida em que te conduzir para mais perto de Mim.

Assim, pobreza ou fartura, doença ou saúde, amizade ou solidão, luz ou escuridão, cada uma dessas coisas pode contribuir para a Alegria e a Beleza da tua vida.

Fornalha da Vida   26 de junho

A VIDA tem sua fornalha para os Meus filhos; nela eles são lançados para ser modelados.

A pedido deles, observo-os insistentemente até vê-los refletir a Minha Glória. Ocorre então a modelagem, toda feita à Minha Semelhança, em metal absolutamente puro.

Normalmente Meus filhos se impacientam com essa etapa, esquecendo que deve ser precedida do refino.

É necessário muito refino para realizar o Meu trabalho.

Vida Eterna   27 de junho

VIDA ETERNA é uma questão de VISÃO.

A visão espiritual é o resultado do conhecimento que gera mais conhecimento.

"A Vida Eterna é esta: que eles conheçam a Ti, o único Deus Verdadeiro, e Aquele Que enviaste, Jesus Cristo."

Vida Eterna.

Eterna na medida em que se considera a qualidade, o caráter da Vida. Sendo de Deus, ela implica imortalidade.

É o Meu Presente da Vida que é Minha. Por isso ela precisa ser Vida de Poder. Essa é a tua Vida, a ser absorvida e vivida, nela e por ela.

"Aquele que crê *tem* vida eterna."

Vida Divina   28 de junho

QUANDO reconheces Meu envolvimento contigo, a Vida Eterna flui através do teu ser com toda Sua força santificadora, revigorante e curativa.

Vida Eterna é consciência das coisas da Eternidade. Consciência do Meu Pai e consciência de Mim. Não apenas conhecimento da Nossa existência, nem mesmo da Nossa Divindade, mas consciência de Nós em tudo.

Quando tomas consciência de Mim, todos aqueles por quem te preocupas também se ligam a Mim. Prestando-Me o teu serviço, pelo poder magnético do Amor, atrais todos os teus entes queridos para o raio da Vida Divina.

Uno Todo-Abrangente   29 de junho

TODO homem é teu irmão, toda mulher tua irmã, toda criança teu filho. Não faças distinção de raça, cor ou credo. Um só é o Pai de todos, e todos são irmãos.

Essa é a Unidade que vim ensinar — o homem unido com Deus e com Sua grande família. Não o homem sozinho, procurando uma unidade com Deus sozinho. Vê Deus Pai com toda Sua grande família, o mundo. A união que buscas com Ele deve significar afeição à Sua família, a Seus outros filhos.

Ele reconhece a todos como Seus filhos, mas nem todos O reconhecem como seu Pai.

Pensa nisso.

Imune ao Mal
30 de junho

EU VENCI o mal; quem confia em Mim está livre dele. Desvia o mal com os dardos que Eu forneço.

Regozijar-te na tribulação é um dardo.

Praticar a Minha Presença é outro.

Esvaziar-te é um terceiro.

Impor o Meu Poder à tentação é mais um.

Encontrarás muitos desses dardos à medida que percorreres o Meu Caminho. Aprende a usá-los com habilidade e presteza. Cada um deles está adaptado à necessidade do momento.

JULHO

Desde o Invisível   1º de julho

Fé é a substância da esperança, a evidência do invisível.

AINDA não vês, nem verás totalmente nesta terra, como a fé, em cooperação com o Poder Espiritual, verdadeiramente alcança aquilo que esperas.

Os homens dizem que os sonhos se transformam em realidade. Mas tu conheces essa transformação como orações atendidas; como manifestação da Força do Espírito no Invisível. Por isso, confia absolutamente.

Poder Perigoso   2 de julho

NÃO percebes como é necessário aprender a tática de ataque do Espírito? Precisas ter fé absoluta em Mim, do contrário não conseguirás entregar-te totalmente a Mim. Os que Me seguem precisam submeter sua vontade e sua vida a Mim, para que sua fé não se transforme em fonte de perigo. Eles recairiam no plano material, em vez de elevar-se às Alturas Espirituais.

Só promoverás o aperfeiçoamento do Meu Reino se a tua vontade for *totalmente* Minha e se confiares nesse novo Poder que Deus te dá.

Oculto em Ti — 3 de julho

SEGUE-ME. Seja em meio à tempestade, ao longo da estrada poeirenta, nos lugares pedregosos, na clareira fria, na pradaria verdejante ou junto às águas do conforto, Comigo, cada experiência será um refúgio.

Às vezes acompanhas a distância. Depois, cansado do peso e da caminhada, estendes a mão para tocar a fímbria da Minha Veste.

De repente, não existe mais poeira, não há mais cansaço. Acabas de Me encontrar. Meu filho, mesmo parecendo inútil, persevera na tua labuta, seja ela um esforço espiritual, mental ou físico. Se ela te estimular a buscar ajuda em Mim, ela te será de grande utilidade.

Liberta-te — 4 de julho

O homem é escravo... do vencedor.

EU ROMPO os grilhões do pecado que te prendem ao mal. Com Mãos amorosas substituí cada grilhão por cordas de Amor que te prendem a Mim, teu Senhor.

O poder do mal é sutil. Uma corda desfeita, uma corda rompida, despertaria tua consciência sonolenta. Fio a fio, porém, com muito cuidado e delicadeza astuta, o mal trabalha até produzir uma corda. Mesmo assim o trabalho é lento, mas aí, até o momento o antigo laço que desfiz te prende ao mal, fio a fio.

Quebra esses grilhões reconstituídos. Satã deseja-te em seu poder para peneirar-te como trigo. Ele trabalha com uma eficiência que Meus servos deveriam imitar. Ele te marcou como alguém capaz de atrair cada vez mais almas a Mim.

Meu Círculo Familiar   5 de julho

Aquele que fizer a vontade do Meu Pai,
esse é meu irmão, irmã e mãe.

TUDO depende da necessidade de fazer a Vontade do Meu Pai.

Nisso consiste a intimidade de um novo relacionamento. A única condição é cumprir a Vontade do Meu Pai. Assim és imediatamente admitido ao Círculo Familiar interior.

O passo inicial no caminho da disciplina é conhecer a Minha Vontade. Esse é o primeiro requisito para cumpri-la.

Minha Vontade para cada dia só pode ser revelada naquele dia. Como podes receber a revelação seguinte sem ter vivido a anterior?

Só chegas à consciência da Minha Vontade obedecendo a essa Vontade quando ela se torna clara. Quando obedeces a ESSA Vontade, ergue-se o véu que esconde o Meu desejo seguinte.

Ouve com Atenção 6 de julho

POBRE mundo surdo! O que perdes de Palavras e Sussurros amorosos!

Quero dividir muita coisa contigo. Mas não ouves.

"Por que desperdiças teu dinheiro com o que não é pão e teu esforço com o que não satisfaz? Ouve-Me com atenção, alimenta-te do que é bom e deixa que tua alma se deleite..."

"Aquele que quer fazer a Minha Vontade, esse saberá."

Que Voz ouvirias? São tantas as vozes que chegam a ti que podes deixar de ouvir a Pequena Voz Silenciosa.

"Este é o Meu Filho Amado — Ouve-o!"

Crescimento do Amor 7 de julho

DESCOBRE com a Natureza a profusão dos seus benefícios.

À medida que dia após dia conheces cada vez melhor a generosidade do Doador Divino, aprende aos poucos a dar.

É dando que o *Amor* cresce.

Não podes dar com liberalidade sem estar pleno do sentimento de entregar-te com o presente, e não podes dar dessa forma se o Amor não passar de ti para aquele que recebe.

Tens consciência, não de ti mesmo como pessoa generosa, mas do Doador Divino como Ser generoso, muito além do que seria possível exprimir com palavras humanas.

Assim o Amor flui *para* ti, com intensidade ao mesmo tempo humilde e engrandecedora, do mesmo modo que flui *de* ti com teu presente.

Lembra-te de Mim   8 de julho

Que eu me lembre constantemente de Ti.

PEDE-ME o que quiseres e te será feito. Mas somente se o coração desejar o que os lábios expressarem. "O Senhor olha o coração."

Crescerás na verdadeira atitude da lembrança de Mim aprendendo cada vez mais a atribuir todas as tuas bênçãos, toda a tua orientação, aos Meus crescentes cuidados:

à mente do teu Mestre observando tudo, inspirando tudo, controlando tudo, a fonte de todo o teu bem.

Eu Te Sustento — 9 de julho

PROSSEGUE sem temor.
Enfrenta cada dificuldade, por maior e aparentemente insuperável que seja, à medida que vais ao encontro dela.

A força que Me pedires para enfrentar o que para ti pode parecer perigo te fortificará para vencê-lo.

"Não temas, pois Estou contigo,

"Não temas, pois Sou teu Deus.

"Eu te fortalecerei, Eu te auxiliarei.

"Sim, Eu te sustentarei com o braço direito da Minha Justiça."

Teu Coração Está Firme — 10 de julho

PROSSEGUE sem temor. O caminho se abrirá à medida que avançares.

O que bloqueia o Meu caminho é o medo. Não tenhas medo. Tudo está bem.

Nenhuma circunstância, nenhuma mudança externa pode prejudicar-te, de modo nenhum. Com firmeza de coração, progredirás "confiando no Senhor".

Eu não conheço mudanças.

Mais Portas se Abrirão — 11 de julho

CONTINUA com fé e confiança. O Caminho se revela à medida que prossegues. Na Vida Cristã, portas se abrem quando delas te aproximas, indicando assim que chegaste até ali pelo caminho reto da obediência.

No início da tua jornada, de que teriam adiantado preocupações com as portas fechadas adiante?

Na Vida do Espírito, como já observaste, o Poder milagroso opera por meio de canais naturais.

Por isso, a lição permanente é esta: Prossegue perseverante e firmemente confiante no caminho da obediência serena.

Essa é a *tua* tarefa. A *Minha* é fazer com que as portas se abram: quando te aproximas delas; não antes.

Quantas vezes já te abri essas portas no passado? Mais se abrirão. Por isso, confia, espera e ama.

Tua Ordem do Mérito — 12 de julho

A GRAÇA é a marca distintiva que imprimo nos Meus amigos. Não é uma ordem do mérito, mas o resultado da vida vivida Comigo. Inclusive, aqueles a quem a confiro nem mesmo a percebem. Para aqueles que entram em contato com eles, porém, e têm olhos para ver, ela é bem visível, do mesmo modo que quando vivi na terra se dizia,

"Todos identificavam bem os que estiveram na presença de Jesus".

A Graça pode ser o sinal do Meu Poder sustentador durante uma vida. Ela pode ser a força serena da estabilidade, a marca da conquista de si, pálido reflexo do Meu caráter ou aroma místico da alma que se oferece ao Meu Amor.

Harmoniza-te 13 de julho

TORNA-TE cada dia mais semelhante a Mim. Faze a Minha Vontade conforme ela te é revelada, e deixa o resultado Comigo. Se és apenas Meu representante, por que preocupar-te se a ação que preparei para ti é criteriosa ou não?

Se o controle que tens sobre a mente e o corpo não é tão progressivo quanto o que tens sobre o espírito, ele se torna um obstáculo. Percebe isso. Os três precisam trabalhar em conjunto; do contrário, reina a desarmonia.

Por mais refinado que seja um instrumento numa orquestra, de beleza sem igual, se tocar sua parte em descompasso com os demais, o resultado será dissonância; assim acontece contigo: a sensação de frustração e fracasso resulta da desarmonia interior.

Morada da Criação 14 de julho

NÃO tenhas medo. Maravilhas se revelam em quantidade cada vez maior. Receberás orientação para tudo enquanto permaneceres no Lugar Secreto do Altíssimo.

Lembra-te de que nesse Lugar Secreto foram engendradas todas as maravilhas do Universo. Nesse mesmo Lugar são desenvolvidos todos os *teus* planos admiráveis. É a morada da Criação, onde tu também participas do Poder Criador.

Morada da Alegria 15 de julho

CORAÇÃO fala a coração enquanto esperas diante de Mim. Amor acende Amor.

O ar que respiras é Divino, vivificador, revigorante.

O lugar em que descansas é Meu Lugar Secreto.

Não vens para perguntar-Me sobre doutrina.

Tal é, por assim dizer, o fundamento do teu ser Espiritual; necessário, mas uma vez sólido, moldas Comigo sua bela superestrutura — a morada da Paz e da Alegria onde Eu habito e converso contigo.

Confidências 16 de julho

A AJUDA é sempre tua.
Ela chega rápida quando não consegues suprir o que precisas. E chega com vigor quando a provisão para cada necessidade já estava feita.

Muitas vezes Meus seguidores agem como se a Minha provisão só começasse a existir através da oração suplicante.

O diretor de uma empresa agiria assim no seu negócio?

Aprende de Mim. Eu te ensinarei com amor e paciência. Minhas lições não são as da sala de aula; são confidências feitas ao pé do fogo.

Antegozo do Céu 17 de julho

Agradeço-Vos, Senhor, a Alegria que me dais
e o cuidado carinhoso que me dispensais.

CONSCIENTIZA-TE cada vez mais disso. Observa todas as coisas, vendo-as sob a Minha influência, e a vida se tornará mais e mais cheia de Alegria. Ninguém tirará essa Alegria de ti.

Esse é o antegozo do Céu que dará ao teu passamento apenas aparência de morte e significará que o teu espírito não será estrangeiro na morada dos espíritos, mas estará respirando um ar familiar e querido.

Manso e Humilde   18 de julho

COMO eficiente Professor do mundo, Eu ensino não tanto pela palavra, mas pela Palavra Viva.

"Aprendei de Mim", eu disse, acrescentando que os homens devem ver em Mim mansidão... e humildade.

Para que Meus discípulos Me tomassem como exemplo, resumi a Minha atitude com relação ao Meu Pai no Céu e aos Seus outros Filhos como "Manso e Humilde".

Para com Deus Pai, a mansidão de uma vontade submissa; para com Seus outros filhos, a humildade livre do orgulho, o qual divide os homens e impede que se aproximem de Deus.

"Aprendei de Mim, porque sou manso e humilde de coração, e encontrareis descanso para vossas almas."

Encontros à Beira do Caminho   19 de julho

EU USO coisas simples e momentos casuais para revelar-Me ao homem. Ele pode encontrar-Me nos modos de viver comuns — basta ter olhos para ver e ouvidos para ouvir.

Nenhum grande sinal, nada de espetacular. No aparentemente acidental ao longo da estrada da vida Eu me encontro com ele e revelo a Minha Vontade, o Meu Propósito e a Minha Orientação.

Nada de muitos quilômetros a percorrer, nada de longas jornadas a viajar, nada de línguas estrangeiras a aprender, nada de estados de êxtase a experimentar antes. Pensa nessas coisas. Lembra-te dos nossos muitos encontros à beira do caminho.

Eu Te Curarei 20 de julho

NÃO admitas a tua doença. Cada vez que falas dela a outros tu a reforças.

Ignora-a o quanto puderes. Pensa mais em Mim, o Grande Curador. Permanecendo em Mim tu te tornas pleno.

Mesmo Meus seguidores mais fiéis muitas vezes erram por não pedir que Eu cure e restabeleça cada parte do seu ser.

Mas pedir apenas saúde física é sinal de uma vida baseada demasiadamente no plano físico, e a Minha Cura é do Espírito.

Pede cura do espírito, da mente e do corpo. Então, seja qual for tua idade, conhecerás a plenitude.

Invencível 21 de julho

EU TE ajudarei a vencer na hora da tentação ou da dificuldade. Apega-te a Mim. Descansa em Meu Amor. Sabe que tudo está bem.

As provações afligem, as tentações assaltam, mas lembra-te, podes ser mais do que vencedor com a Minha ajuda. Senhor de todas as coisas, Eu sou. Controlador de tudo. Eu Sou o que mantém, o que ama, o que guia, o que é amigo.

Lembra-te: se disseres em teu coração, com Pedro, "Tu és o Cristo, o Filho de Deus Vivo", sobre esse fundamento sólido de fé, eu edificarei a Minha Casa, o Meu Santo dos Santos.

As portas do inferno, as ações e pensamentos contrários e as críticas do mundo não podem prevalecer contra ela. Mais do que vencedor. Vencedor nas pequenas coisas. Vence na Minha Força e no Meu Poder.

Dar a Mão — 22 de julho

NÃO uma vez apenas em tua vida, quando te chamei para seguir-Me, mas constantemente —

Jesus chama.

No dia atarefado, no caminho aglomerado, ouve a voz do teu Senhor e Amante chamando. Um chamado a parar e descansar um pouco Comigo. Um chamado a conter a tua impaciência, um lembrete de que na quietude e na confiança estará tua força. Um chamado a fazer uma pausa, a dirigir uma palavra a alguém que está com um problema.

Talvez a dar a mão.

## Nome Amado	23 de julho

O SUSSURRO do Meu Nome com Amor traz o invisível para o plano da realidade. É como respirar sobre uma superfície, revelando a presença de uma figura amável.

É o Nome diante do qual o mal se encolhe e se retrai, envergonhado, impotente, derrotado. Respira-o com frequência. Não sempre para pedir. Às vezes em confiança amorosa, às vezes em consciência do Amor. Às vezes em êxtase triunfante.

## Cooperadores Cristãos	24 de julho

EU SEMPRE tenho trabalho a fazer. Por isso, prepara-te para ele através da oração, do contato Comigo, da disciplina.

Nada é pequeno para Mim. Uma tarefa simples feita adequadamente pode ser a unidade necessária para construir um majestoso edifício.

A abelha nada sabe a respeito de sua ação ao fertilizar flores para produzir frutos.

Não esperes ver resultados.

A tarefa pode passar para outras mãos antes da manifestação de algum resultado. É suficiente seres um trabalhador com outros e Comigo na Minha Vinha.

Alegria em Mim   25 de julho

A ALEGRIA ensina. A Alegria limpa o vidro sujo da tua consciência; então podes ver com clareza.

Então Me vês com clareza e vês mais claramente ainda as necessidades dos que estão ao teu redor.

Aperfeiçoa-te   26 de julho

TORNA-TE perfeito como Meu Pai no Céu é perfeito. Isso significa um esforço para toda a vida, um crescimento sem fim. Sempre que progrides, há uma percepção maior do Meu Pai. Mais esforço e crescimento. Acima de tudo, uma necessidade crescente de Mim e do Meu auxílio sustentador.

Eu vim para fundar um Reino de crescimento Progressivo. Infelizmente, muitos dos Meus seguidores pensam que tudo o que têm a fazer é aceitar-Me como Salvador. Esse é apenas um primeiro passo.

O céu não é um lugar de estagnação. Na verdade, é um lugar de progresso. Precisarás da Eternidade para compreender a Mente Eterna.

Não Julgues   27 de julho

A NATUREZA humana é muito complexa. Mesmo nos teus momentos mais lúcidos, mal podes dizer que motivo suscitou esta ou aquela ação praticada por ti.

Como, então, podes julgar teu próximo, cuja natureza compreendes tão pouco? Julgar mal o que no outro pode ter sido inspirado pelo Espírito de Deus é julgar mal o Espírito de Deus.

Pode haver pecado maior do que esse? O falso julgamento me condenou à Cruz!

Verdade Admirável   28 de julho

SOMENTE a crença em Mim e no conhecimento de que Eu sou Filho de Deus pode vencer o mundo. Essa é uma Verdade admirável.

Usa essa Verdade como alavanca para remover cada montanha de dificuldade e mal. Sê cauteloso em todas as coisas e espera a Minha Orientação. Conversa Comigo sempre.

A verdade da Minha Divindade, do Meu Poder, criador, redentor, destruidor do mal, deve permear toda tua consciência e influenciar tua atitude em cada situação, diante de cada problema.

Vê o Amável   29 de julho

NÃO te forces a amar o próximo. Vem a Mim. Aprende a amar-Me sempre mais, a conhecer-Me mais; aos poucos verás teu semelhante como Eu te vejo. Então também tu o amarás.

Teu Amor por Mim, que te faz desejar servir ao próximo, te fará ver e amar o amável nele.

Influência Verdadeira 30 de julho

NÃO DEIXES que um único elo de influência se perca.

Laços de verdadeiro amor e solicitude nunca devem romper-se; devem ser sempre usados para MIM. Reza por aqueles a quem estás ligado por laços particulares. Assim estarás pronto caso eu deseje tua ajuda especial para eles.

Deves colocar-te como pecador diante de um pecador antes de poder salvá-lo. Mesmo Eu tive de ficar entre dois ladrões para salvar o Meu mundo.

Tudo em Ordem 31 de julho

Ele ordenou o meu modo de ser e agir.

ORIENTAÇÃO primeiro, mas mais do que isso, ordem Divina na tua vida, na tua casa, em tudo o que fazes.

Ordem em tudo. Em primeiro lugar, a ordem espiritual, a calma perfeita que só uma alma que permanece no Meu Lugar Secreto pode alcançar.

Em seguida, a ordem mental de alguém que permanece em mim e tem a sanidade e o equilíbrio de uma mente estável.

Por fim, a ordem deve manifestar-se de fato em teu ambiente.

Inicia cada tarefa com uma oração, como uma Delegação Divina, e realiza-a sem pressa, com grande satisfação.

AGOSTO

Alegria da Colheita   1º de agosto

*Aquele que colhe recebe sua paga
e obtém frutos para a vida eterna;
regozijem-se juntos o que colhe e o que semeia.*

NÃO percebes que se negligencias a colheita impedes a alegria do semeador?

Se em consequência do teu modo de ser e de viver não colhes o que ele semeou, roubas-lhe o fruto merecido da labuta dele.

Aprende esta lição. A muitos dos Meus operários e servos nas mais diversas áreas de atuação deves a semente da palavra, do exemplo e da ajuda amorosa que te influenciou.

É uma confiança sagrada. Usa-a plenamente.

Amor e Riso Sempre   2 de agosto

ESTA sempre foi a minha ordem para ti: Ama e Ri. O verdadeiro Amor combina muito bem com o riso.

O Amor que não vibra com alegria (da qual o riso é a manifestação externa) não passa de solicitude. A Alegria do Céu é consciência do Amor de Deus.

Foi esse Amor que Me trouxe ao mundo.

A consciência desse Amor despertou a tua alegria. Estuda as Minhas Palavras no Andar de Cima — "Amado do Meu Pai"; "Eu te amarei"; "Que tua Alegria seja total".

O Amor Alivia o Fardo — 3 de agosto

Na estação devida, se não desfaleceres, colherás.

O CAMINHO pode parecer longo e cansativo.
Às vezes o Meu Coração Amoroso sofre por pedir que percorras um caminho tão longo e fatigante. Para cada um dos Meus seguidores, porém, a via escolhida é seguramente a mais apropriada para os pés deles.

Mas os pés se cansam. Deixas o Amor suavizar o penoso caminho? Nós caminhamos juntos.

Visão de Amor — 4 de agosto

AMOR é a flor.
Amor é a semente da qual a flor germina.
Amor é o solo onde ela se nutre e cresce.
Amor é o sol que a leva à plena floração.
Amor é a fragrância que ela exala.

Amor é o olhar que vê sua beleza, *e*
Deus é Amor, que tudo conhece, que tudo compreende, de quem todo Bem procede.

Amor Onde Não Há　　　　　　　5 de agosto

SE ME aceitas como teu Senhor e se fores um verdadeiro seguidor Meu, o Amor a todos deve ser a marca de tudo o que fazes.

"Seu estandarte sobre mim era o Amor." Essas palavras expressam não só a Proteção amorosa ao teu redor, mas também a bandeira sob a qual marchas como Meu soldado, teu Capitão.

Ela serve para lembrar-te daquilo pelo qual te apresentas ao mundo. É em Nome do Amor que marchas. É em Nome do Amor que vences. É o Amor que deves levar para os lugares carentes de afeto no mundo. É o único equipamento de que precisas.

Ouvidos Surdos　　　　　　　6 de agosto

O HOMEM pede socorro. O homem sente necessidade de Mim. Todos desatentos ao fato de que quase sempre Me aproximo sem ser ouvido, passo despercebido, falo a ouvidos surdos, toco frontes preocupadas e enrugadas pelas inquietudes terrenas.

"Cristo está morto", diz o homem.

Vivo e ansioso, cheio de grande ternura, cruzei com ele hoje. Mas ele não percebeu.

O homem ouve as tempestades, os ventos, os terremotos; e seus ouvidos, ainda aturdidos por esses ecos, não ouvem a Pequena Voz Silenciosa. Meu filho, ouve-Me.

Bálsamo para Todos os Males 7 de agosto

AMA, cuida e reza. Não te julgues incapaz de ajudar os que amas. Eu sou o amparo deles. Obedecendo-Me e vivendo Meus ensinamentos na tua vida cotidiana, colocarás esse amparo em ação.

Assim, se queres ser usado para salvar o próximo, volta-te para a tua própria vida. Na medida do possível, transforma-a naquilo que ela deve ser.

Deixa que a influência que recebes de Mim se estenda sempre mais. Que o Amor seja o teu bálsamo para todos os males. O Poder pelo qual farás ruir todas as barreiras.

Ela representa também o Nome de Deus que amas e a que serves. Assim, com Seu estandarte tremulando sobre ti, prossegue com confiança jubilosa à vitória. Tua tarefa é ajudar, fortalecer, elevar, curar. Somente amando farás isso.

Nada de Sofrimentos — 8 de agosto

O vencedor não será tocado pela segunda morte.

A PRIMEIRA morte é a morte do ego, resultado da superação, da conquista de si mesmo. Essa morte é gradual.

Quando essa está consumada, a segunda morte não causará sofrimentos, pois é apenas o Espírito conquistador abandonando sua habitação humana por uma Vida melhor.

A coragem que Meus Mártires mostraram não era somente destemor gerado em tempos de perseguições através da fé em Mim, e em Meu poder para suportar e sustentar. Foi consequência da conquista do ego já obtida. Essa segunda morte não lhes causou sofrimento, porque o ego já estava morto.

Então foi deles a Vida Ressuscitada Comigo.

Indiviso — 9 de agosto

VIVE na Minha paz.
Não deve haver vida dividida nela.

Paz em teu coração. O descanso do coração que resulta da comunhão constante Comigo e da confiança inabalável em Mim.

Então Paz ao teu redor, onde outros têm consciência de Mim, da Paz que ofereço como Meu Presente, e do descanso, da força e do encanto a que são atraídos.

Surpresa Agradável — 10 de agosto

VIVE perto de Mim para não perderes a oportunidade de ser usado por Mim. Ela é o instrumento preparado, bem próximo da Mão do Mestre Artesão, que o pega para fazer o trabalho.

Por isso, fica perto de Mim, para que Eu te use. Lembra-te de que o Amor é o Grande Intérprete; assim, os que te amam e te são próximos são os que mais podes ajudar.

Não passes por eles para atender outros, embora tua influência e ajuda se espalham gradualmente, formando um círculo cada vez mais amplo. Viverás num espírito de surpresa agradável.

Honestidade Absoluta — 11 de agosto

APRENDE a agir lentamente com cuidado santificado.

A precipitação não tem lugar no Meu Reino.

Sê ponderado em tudo, com a ponderação que deve caracterizar toda alma, pois essa é uma das credenciais desse Reino.

Falta de equilíbrio e dignidade significa falta de Poder Espiritual, e teu objetivo deve ser possuir esse Poder.

Sê sincero em tudo, com uma honestidade que tanto o mundo quanto os padrões do Meu Reino podem instigar.

Regozijo Santo   12 de agosto

VIVE Comigo. Trabalha Comigo. Rejubila-te fazendo sempre a *Minha Vontade Sagrada*. Seja *esta* a satisfação da tua vida. Regozija-te nela.

O encanto do Meu zelo por ti seja tão confortador que não te enfades na lida, na demora...

A Glória da Minha direção (a maravilha da sua intimidade) revela conhecimento amoroso de ti, passado e futuro.

Que isso Me revele a ti, e assim aumente dia a dia o teu conhecimento de Mim.

A Estrada que Tomaste   13 de agosto

OLHA para trás e observa o caminho pelo qual te conduzi.

Pergunta a ti mesmo, "Não é o meu Senhor tão forte hoje quanto nos dias que ficaram para trás? Ele não me salvou quando não tive ajuda humana? Ele não manteve Sua Promessa, não me protegeu e cuidou de mim? Lembrando-me disso, posso duvidar do Seu Poder agora?"

Assim ganharás segurança e maior confiança. Fortalecida então tua fé, Meu Poder agirá de modo mais livre e pleno em teu nome.

Apenas começas a compreender as Minhas Maravilhas. Tu as verás revelando-se cada vez mais à medida que prosseguires. Inclui-Me em tudo o que fazes, em cada plano, em cada ação.

Abundância da Sua Graça — 14 de agosto

É TAREFA dos Meus seguidores tornar atraente a Minha Palavra, a própria Palavra de Deus.

A Minha Palavra deve *permanecer* em ti com abundância. Não deve haver parcimônia, escassez, mas fartura de provisões.

Observa a *habitação*. Nada irregular, como Eu te disse. Faze teu lar nela. Acomoda-te com conforto. Nada de escassez ou penúria.

A Palavra de Deus cresce em sentido, em intensidade, para ti, à medida que a pões em prática.

Lembra-te também que a Palavra de Deus é o Verbo que se fez carne, Que permanece contigo, teu Senhor Jesus Cristo.

Minha Imagem Recuperada — 15 de agosto

OLHA para Mim até que teu olhar se torne tão intenso que possas absorver a Beleza da Santidade.

Então verdadeiramente expulsas da tua natureza o ego insignificante e indigno. Olha para Mim. Fala Comigo. Pensa em Mim.

Assim te transformas pela renovação da tua mente. Outros pensamentos, outros desejos, outros modos de seguir, pois te tornas à Minha Semelhança.

Assim justificas a ação de Deus para com o homem — o homem feito à Sua Imagem, aquela Imagem desfigurada, mas eu Ainda tive confiança no homem; confiança de que o homem, vendo a Imagem de Deus em mim, o homem Cristo Jesus, aspiraria a elevar-se novamente — à Minha Semelhança.

Expectativa — 16 de agosto

EM todo teu trabalho, em teus encontros com outros, tem sempre a consciência do Meu Amor atencioso envolvendo-te. Continua em Meu Amor.

Encontra-Me ao anoitecer com expectativa amorosa.

Bênção Prematura   17 de agosto

Dá-me forças para aguardar Teu tempo, aceitar Tua disciplina.

Só a tua displicência pode adiar as respostas às tuas muitas preces.

A bênção que almejas precisa de uma vida treinada, disciplinada, ou ela causaria a tua ruína e atrairia sobre ti a crítica do mundo que só prejudicaria a própria causa, a Minha causa, que procuras servir com tanto fervor.

Laços Rompidos   18 de agosto

Solta os grilhões que me prendem à terra e às coisas materiais.

Eles serão soltos. Mesmo agora tua oração está sendo respondida. Mas só estarás totalmente livre se viveres sempre mais Comigo.

A liberdade do pensamento com relação a reclames do ego se dá por um processo de substituição. Substitui cada pedido do ego por um apelo Meu. Substitui cada pensamento de medo ou de ressentimento por um pensamento de segurança em Mim e de Alegria em Meu Serviço. Substitui cada pensamento de limitação e de impotência por outro do Poder de uma vida apoiada pelo Espírito.

Faze isso persistentemente. No início com esforço intencional, até que se torne um hábito inconsciente. Os grilhões irão se romper e aos poucos compreenderás a maravilha da tua liberdade.

Dar Generoso   19 de agosto

Senhor, peço Teu suprimento ilimitado.

EU DOU com mãos generosas. Observa a beleza na Natureza, a profusão, a generosidade. Quando te dou um trabalho a fazer, uma necessidade de outro a atender, Minha provisão não conhece limites.

Tu também deves aprender essa generosidade Divina, não só para com os solitários, os necessitados, com quem tens contato, mas também para Comigo, teu Senhor.

Mede o valor do presente de Maria com as oferendas que Me dão hoje os que professam seu Amor por Mim. O dar avaro apequena a alma.

Gloriosa Oportunidade   20 de agosto

A VIDA do homem não é uma tragédia ou comédia representada por um Deus Caprichoso.

Ela é a gloriosa oportunidade do homem de resgatar o que a humanidade perdeu — assistido por Aquele Que encontrou o caminho reto e Que está pronto em cada ponto e em todo o percurso para dar ao homem a Vida Eterna.

Aquela Vida Eterna que lhe possibilita respirar, mesmo aqui e agora, o próprio ar do Céu, e ser infundido do Espírito de Vida em que Eu vivi na terra; Deus feito homem.

Onde Me Encontrar — Sempre 21 de agosto

O HOMEM está quase sempre à procura, e se espanta por não encontrar. Por quê? Porque ele só pode Me encontrar no caminho da obediência simples.

Eu disse, "Eu não vim por Minha Vontade, mas pela Vontade d'Aquele que Me enviou". Eu percorro, como sempre percorri, o caminho da obediência simples. Ao longo desse caminho podes Me encontrar.

O homem deve obedecer às Minhas Ordens antes que seus pés possam trilhar o Meu caminho. Então, procurando, ele Me encontrará. Eu disse que deves te tornar como uma criança para entrar no Reino do Céu.

Poder Verdadeiro 22 de agosto

MUITOS estão falando SOBRE Mim, e se espantam porque suas palavras não têm força. É que não são Minhas Palavras, são palavras sobre Mim. Quanta diferença!

O mundo está farto com palavras sobre Mim.

O mundo precisa *ver-Me, não ouvir falar do Meu Poder, mas vê-lo em ação*. Não ouvir a respeito da Minha Paz, mas ver que ela mantém os Meus seguidores calmos, tranquilos e serenos, sejam quais forem as circunstâncias externas.

Não *ouvir* falar da Minha Alegria, mas *vê-la* como, emergindo de profundezas ocultas de segurança, onde o verdadeiro Poder e a verdadeira Paz se encontram, ela alcança a superfície da vida e se revela aos que estão próximos.

Fome de Justiça — 23 de agosto

MUITOS se perguntam por que seu desejo de justiça não é atendido de acordo com a Minha Promessa. Mas aquela Promessa foi feita sob a condição de que houvesse fome e sede. Se as Verdades que preguei não foram absorvidas, não pode haver fome verdadeira de mais verdades.

Assim, quando não vês a Luz da Alegria no teu caminho, quando a visão parece perdida, e a Voz silenciosa, pergunta-te se deixaste de viver as lições que te foram ensinadas.

Vive os Meus ensinamentos na tua vida, e então, com fome ainda maior, vem a Mim, Pão da Vida, Alimento da tua alma.

Poder e Majestade 24 de agosto

COMO Homem das Dores — é assim que quase sempre Me vês.

Contempla-Me também na Majestade da Minha Divindade.

Nem sempre o homem pode desconsiderar os Meus Desejos e quebrar os Meus Mandamentos.

Eu vejo a profanação da Minha Imagem, Eu vejo a ruína do reino da terra que devia ter sido o Reino do Senhor. Eu vejo paixões desenfreadas e a inocência aviltada, e o homem bradando para assumir o controle.

Então o Homem das Dores porta-se como um Rei com olhos flamejantes ao ver os aflitos, os oprimidos, os perseguidos, e o perseguidor, o tirano e o fraco.

Até quando terei paciência? ATÉ QUANDO?

Casa do Espírito 25 de agosto

"TALVEZ temas deixá-las escapar" — "Agarra rápido porque deixaste." Cada Verdade aprendida precisa fixar-se no teu ser pela obediência.

O caráter da tua alma é como uma construção. Ele É uma construção (o Templo) onde o Espírito de Deus pode estabelecer sua Morada.

Tijolos espalhados pelo chão são inúteis; colocados juntos, unidos, eles formam uma construção. Assim a obediência é a argamassa com a qual as Verdades são preservadas e se tornam parte do ser. Verdades que de outro modo se perderiam.

Por isso cada Verdade que te transmito deve ser vivida.

"Morro a Cada Dia" 26 de agosto

EU PRESCREVI que para Me seguir, o homem deve negar a si mesmo e tomar a sua cruz.

A negação assim impressa nos Meus discípulos como necessária não era uma mera questão de disciplina, de desistência, de renúncia a algo.

Era um repúdio total a qualquer pretensão do ego, ignorando-o, recusando reconhecê-lo.

Isso não devia ser feito *uma vez*, mas *cada dia*; devia haver uma recrucificação diária de qualquer parte da vida do ego ainda não completamente morta.

Família Conduzida pelo Espírito 27 de agosto

NÃO tenhas medo. Maravilhas se revelam.
Nesta Vida ou na Grande Vida, a lição é a mesma — a absorção do Meu Espírito — vivendo, pensando e agindo no Meu Espírito, até que outros sejam forçados a ver e reconhecer seu Poder e reivindicações.

Isso significa solidão para o Meu Seguidor? Não, embora tu, o tu-ego-humano, não tenhas reconhecimento, o tu verdadeiro, transformado por Meu Espírito, participa de toda plenitude de atuação e da Alegria dela resultante.

Não és um ser isolado, mas um ser de uma poderosa família conduzida pelo Espírito, participante de todo bem-estar da família, cooperador em cada ato de cada membro, coparticipante das bênçãos de cada um.

Isto é um antegozo da unidade e plenitude do Céu.

Corrente de Ouro   28 de agosto

DEIXA que Meu Espírito de Calma entre em teu ser e te dirija, enchendo-te de Paz e Poder. Encontra cada dia essa corrente de ouro que passa através de tudo e que une todas as simples tarefas e palavras e interesses e sentimentos num único todo.

Ao seu final, conscientemente, devolve-Me o dia, deixando Comigo tudo o que é incompleto. É trabalho do Céu completar a tarefa imperfeita ou incompleta do homem, quando ela foi atribuída pelo Céu.

Vê a Alegria da Vida, e tu, por esse mesmo ato, aumenta-a. A Alegria aumenta pela consciência de Alegria do homem.

Extravagância Divina — 29 de agosto

Cristo esteja em ti em toda abundância de Sabedoria.

É A ATITUDE mesquinha dos Meus seguidores que macula a Minha religião.

Permanece na extravagância Divina dos termos usados por aqueles que sabiam algo da maravilha do Meu Reino — "As riquezas", "A abundância", "A plenitude". Não há restrição com Deus.

O único limite é posto pela incapacidade de reivindicar dos Meus seguidores. A abundância de sabedoria e o Poder infinito para ajudar o próximo podem ser teus.

Continua Invencível — 30 de agosto

A VIDA, a vida na terra, é uma batalha. Uma batalha em que o homem será sempre perdedor, a menos que convoque as Forças Eternas da Vida para ajudá-lo. Faze isso, e tudo o que tiver poder para contrariar-te recuará derrotado.

Tanto nas pequenas como nas grandes coisas da vida, dize, "Nada pode me prejudicar, nada pode me dar medo. N'Ele eu venço". Persevera invencível, resiste aos inimigos da vida.

Música Celestial 31 de agosto

ELEVA o teu coração.
Eleva-o — seu amor e seus anseios, deixando medos e defeitos para trás.

Que teu coração absorva sua força, sua Alegria vivificadora e sua Confiança, de Mim, teu Senhor.

Que nenhuma vibração que esteja em dissonância com a Música Eterna do Meu Reino agite o teu ser.

SETEMBRO

É Suficiente   1º de setembro

OUVE, que vou falar.
Eu raramente forço a entrada com algazarra e pensamentos dispersivos. Primeiro deves recolher-te, e então silenciar, enquanto esperas na Minha Presença. Não te é suficiente permanecer Comigo?

Que baste!

É realmente maravilhoso Eu *falar* contigo. Mas se o Espírito que habita em Mim não for teu, como podes realizar Meus desejos e viver como quero que vivas?

Tu Ouvirás   2 de setembro

OUVE a Minha Voz. Divide todas as tuas alegrias, tristezas e dificuldades Comigo, sempre lembrando que temos uma missão em comum.

Mais e mais almas te serão enviadas para receber tua ajuda. Fica atento, em sintonia com o Meu sussurro mais sutil. Aos Meus servos não falta ajuda, mas eles raramente se encontram num estado de ânimo receptivo.

"Escuta e ouvirás" segue a "Pede e receberás", "Procura e acharás", "Bate e a porta te será aberta".

Escuta e ouvirás.

Os Teus Fracassos São Meus   3 de setembro

Senhor, ofereço-Te os meus fracassos.
Somente Tu podes... reparar os danos que causei.

PORQUE és Meu devo identificar-Me com tudo o que és. Eu componho a harmonia que transformaste em dissonância. Eu faço ecoar a esperança nos ouvidos em que não tiveste o encanto do Amor para resgatar do pecado e do fracasso.

Eu conduzo por caminhos mais felizes aqueles que julgaste mal, que desprezaste.

Eu assumo os teus fracassos, e porque o teu desejo se volta para Mim, e me conheces como Senhor, é tarefa sacrifical Minha carregar, recuperar, os teus fracassos.

Sai da tua casca de fracasso envolto nas vestes da fé e do amor que Eu te dou.

Sê forte para salvar conforme conheceste a salvação, forte em Mim, teu Senhor sempre vencedor.

Caminhamos Juntos   4 de setembro

Senhor, quero caminhar Contigo.

VÊ, Eu acerto o Meu passo com o teu como um pai amoroso faz com seu filho.

Assim deve haver muito silêncio em nosso convívio, porque ainda não és capaz de suportar toda a Verdade Maravilhosa que anseio por compartilhar.

Embora as palavras possam encontrar-te indiferente, não podes deixar de crescer na Minha Presença, de crescer na Graça, de crescer em compreensão.

Assim, naquele Repouso que prometi aos que vêm a Mim, tu realmente ganhas a força que procede da segurança no Amor.

O Amor se Manifesta 5 de setembro

DEVES permanecer perto de Mim.
Fidelidade não é apenas obedecer aos mandamentos expressos da Minha Palavra Escrita. É o conhecimento intuitivo do Meu Desejo, por contato próximo e íntimo, do qual nasce a verdadeira compreensão de Mim.

Mesmo com esse conhecimento, a fidelidade só pode ser possível quando és fortificado com a Força que a Comunhão Comigo proporciona.

Se conheces o Meu desejo mais sutil, e absorves de Mim a Força para realizá-lo, o Amor se manifesta, respondendo, regozijando-se no Senhor.

Nada de Orgulho — 6 de setembro

ESTÁS pronto para o treinamento e a disciplina? Como as minhas árvores invernais, aparentemente inúteis e impotentes, para aqueles que não compreendem o enraizamento em mim que te mantém inabalável em meio aos vendavais e ao frio do inverno.

Durante os meses negros, quando tua beleza (teu poder de ajudar e defender) é sacrificada, ainda continuas absorvendo energia e alimento.

O tempo para ajudar voltará novamente, e terás aprendido a não ter orgulho pessoal na beleza da tua folhagem e na quietude da tua sombra.

Tu as usarás para aqueles que precisam delas, mas darás a glória a Mim, teu Senhor.

"Senhor, Meu Senhor" — 7 de setembro

O CORAÇÃO humano precisa de um líder, um líder cuja vontade ele se compraza em obedecer.

Ele precisa de uma unidade de objetivo e realização com alguém que ele ame. Ele precisa ser compreendido.

Ele deseja revelar-se sem reservas e assim ganhar somente força.

Ganhar também uma revelação sempre mais íntima do coração do amado ou da amada. Onde pode o coração do homem encontrar satisfação como em Mim?

Harmonia Perfeita 8 de setembro

NENHUMA nota dissonante destoa a tua relação Comigo, pois somente Comigo a vida pode ser harmonia perfeita.

Pode haver muita coisa a lamentar de tua parte, fracasso, deslealdade, medo, pecado.

Na Minha Santa Presença tudo isso é removido por Minha Mão de Amor. Permanece somente o Amor, o Amor que traz a Paz, o Amor que produz Harmonia. Se deves enfrentar o Mundo e manter a calma, deves levar ao mundo, e às tuas ações nele, a Minha Paz e Harmonia.

Os Desejos do Coração 9 de setembro

DETÉM-TE à entrada da Minha Casa da abundância. Detém-te com temor reverente e na alegria da Veneração.

Ele te concederá os desejos do teu coração. Ele satisfará os teus desejos, concebidos em união com o Espírito Divino, e fará com que se realizem plenamente.

Toma consciência disso e deixa que teu coração cante com o júbilo dessa Maravilha de Suprimento.

Sereno 10 de setembro

PAZ. É tarefa tua manter essa Paz em teu coração e em tua vida. Esse é o teu trabalho para Mim. Ele é de suma importância porque se não o realizares, então, como canal, serás inútil.

Aprende a sentir a menor agitação na superfície da tua vida. Aprende a sentir a menor inquietação nas profundezas do teu coração. Então descansa em Mim até que tudo se acalme.

Pensa, alguma mensagem pode não ser entregue, porque não posso te usar. Alguma palavra gentil não dita, porque o ego bloqueia o teu canal.

Somente o ego pode causar mal-estar, e o Meu grande Presente para os Meus discípulos foi a PAZ.

Domina esse Desejo 11 de setembro

REPITO mais uma vez, não julgues os outros. Essa é uma tarefa Minha que nunca deleguei aos Meus seguidores, a de julgar.

Vive Comigo. Assim poderás ver mais desse eu interior que Eu vejo em cada um. Assim aprenderás uma humildade que te faz perder o desejo de julgar.

Procura amar e compreender tudo. Ama a todos por Meu amor. Eles são Meus. Vivendo Comigo, verás como anseio por eles, como os desejo. Vendo isso, teu amor por Mim deve impedir-te de magoar-Me com críticas malevolentes àqueles com quem Me preocupo.

Não Acuses 12 de setembro

JAMAIS atribuas a culpa a outros.
Se Eu carrego os teus pecados e os pecados dos outros, não estás lançando a culpa em Mim?

Se o que é desfavorável resulta do teu próprio defeito ou fraqueza, procura tratar a causa corrigindo o defeito e vencendo a fraqueza.

Se o causador é o outro, não atribuas culpa, não deixes que pensamentos do ego interfiram para causar a mínima perturbação da tua calma de espírito.

Preserva a paz que confiei a ti.

Causa de Pecado 13 de setembro

O PECADO não tem mais nenhum poder sobre ti, a não ser por tua escolha deliberada.

A maneira mais segura de salvaguardar-te contra qualquer tentação a pecar é aprender a amar a fazer a Minha Vontade, e a amar a ter essa Vontade feita, em todas as pequenas e grandes coisas da tua vida diária.

Muitas vezes o homem se confunde com isso — Se Eu venci o pecado, por que ele é um inimigo tão poderoso?

Eu venci o pecado.

Ele não tem poder sobre nenhuma alma que não quer pecar. Então tudo o que pode levar ao pecado é o desejo.

Eu dou grande destaque ao amor do homem a Mim. Se o seu amor, o seu desejo está em Mim — ele fará *somente* a Minha Vontade. Assim ele é salvo do pecado.

Presentes para Ti   14 de setembro

"NÃO como o mundo dá, mas como Eu dou."

Não como o mundo dá, mas como Eu, de modo infinitamente mais rico, mais abundante, dou a ti.

O mundo espera um retorno, ou só dá em troca. Eu não faço isso. Minha única condição é: recebe!

Mas para receber Meu Poder, Meus Presentes, deves ter um lugar para eles; inundado de ego, não há espaço para Mim e para Meus Presentes.

Assim, tudo o que quero de ti é que estejas vazio de ego e que Me desejes.

Bravura na Oração   15 de setembro

MEU filho, não há arrogância na tua afirmação quando dizes, "Não Te deixarei ir a menos que me abençoes".

Eu não te disse sempre para pedir grandes coisas? Fazendo isso estás Me obedecendo.

Fazes bem em lutar com bravura na oração. Há tempos para pedir, para exigir.

Agora é tempo para exigir. Não tens dúvida sobre a Minha Vontade. Pede suas manifestações na terra.

Adoração — 16 de setembro

NUNCA te esqueças de adorar. Essa é a forma mais bela de oração. Ela inclui todas as outras.

Se adoras, significa que confias em Mim e Me amas, sem o que toda súplica deixa de alcançar seu objetivo. Significa agradecer, porque a adoração brota do agradecimento repetido.

Significa também contrição.

Quem Me adoraria com uma adoração cheia de Alegria e não teria consciência da sua indignidade e do Meu perdão e bênção? Adoração é reverência cheia de Amor.

Deixa-O para Mim — 17 de setembro

NO meu Reino, não compete ao homem julgar. Há um único Juiz, e mesmo Ele reserva Seu julgamento até que seja escrito o último capítulo da vida do homem, até que todas as provas sejam apresentadas, tão ansioso Ele está para descobrir algumas circunstâncias atenuantes ou para esperar até que, por iniciativa do próprio homem de voltar-se para Ele e de entregar-se à sua Misericórdia, a posição seja alterada e o juiz se torne o prisioneiro no banco dos réus.

Então Deus Pai, sabendo que Seu Filho Amado aceita a responsabilidade pela ação (de fato Ele mesmo já recebeu a punição), é obrigado a perdoar o pecador humano.

Tu, então, ao julgar (o pobre, o fraco, o insensato, a arrogância desprezada), não estás julgando o pecador, mas a Mim.

Tu Podes Ajudar 18 de setembro

MEUS seguidores deviam salvar o Meu mundo — guardando Meus Mandamentos, unindo-se a Mim, e com o Poder interior do Meu Espírito.

E deviam ser pessoas peculiares. Minha religião, que devia mudar a vida dos homens e ser tão revolucionária a ponto de separar famílias e reorganizar governos, se tornou uma convenção, apenas tolerada onde não era apreciada.

Suas Verdades foram modificadas para se adaptar aos desejos dos homens. Seus seguidores não empunham espada flamejante, não difundem a Mensagem de um Amor tão afetuoso de modo a curar toda ferida, tão ardente a ponto de queimar todo mal. Minha Cruz é antiquada, Meu Pai Amoroso não é mais do que a Causa Primeira.

O homem se apraz na sua autossuficiência e procura se convencer de que tudo está bem. Poderá ele enganar um Pai amoroso e compreensivo que sabe que sob toda jactância espreita o medo, a ansiedade, o desespero?

Posso deixar o homem assim? Posso oferecer-lhe o Calvário, e se não demonstrar nenhuma identidade com ele, abandoná-lo ao seu destino? Conheço muito bem sua necessidade de Mim. Tu podes Me ajudar.

Ajuda-Me 19 de setembro

AJUDA-ME a salvar o teu semelhante, tão amado meu quanto tu mesmo.

Não te preocupas por ele Me desconhecer? *Não te preocupas por ele Me desconhecer?*

Não te preocupas por ele estar solitário, faminto, desesperado e distante do aprisco?

Guiado pelo Espírito 20 de setembro

APRENDE a esperar a Orientação espiritual, até que sua sugestão seja tão clara para tua consciência quanto uma ordem do oficial para o soldado, do senhor para o servo. Esse reconhecimento diferencia o Meu verdadeiro seguidor de muitos que Me chamam de "Senhor, Senhor" e não fazem as coisas que Eu digo.

Muitos vivem de acordo com os Princípios que estabeleci quando Eu estava na terra, mas não agem sob o impulso do Meu Espírito dia após dia.

"Os que se deixam guiar pelo Espírito de Deus são filhos de Deus."

Barreiras Destruídas   21 de setembro

A MINHA Luz brilhará sobre ti. Ela iluminará e animará o teu caminho.

Mas ela irá também penetrar os lugares escuros e secretos do teu coração, talvez revelando algum pecado, falta ou defeito não percebidos.

Deseja seu esplendor, não só por seu conforto e orientação, mas também por sua revelação de tudo o que está dentro de ti que não é totalmente Meu.

Eu sou o Sol da Justiça. Permanece em Minha Presença, não reclamando, não suplicando, mas descansando, até que as impurezas do teu ser sejam consumidas pelo fogo, que a escória do teu caráter seja purificada e tu, fortalecido e purificado, possas dedicar-te à Minha obra.

Eu Sou Perdão   22 de setembro

Meu Senhor, perdoa-me, eu Te peço.

PODERIA Eu recusar o perdão? Eu, que vivo sempre para interceder por Meus filhos, que lhes disse que sempre que rezassem deviam perdoar em seus corações?

Eu sou Deus, mas me tornei homem.

Perfeito Deus e perfeito homem.

Humano e, todavia, Divino.

Porque sou Eterno — devo sê-lo *sempre*.

Assim, vê em Mim tudo o que ordenei a Meus seguidores que sempre fossem e fizessem. Eu poderia recusar o perdão?

Irritabilidade Suprimida   23 de setembro

A CONSCIÊNCIA da Minha Presença confere continuidade e força a tudo o que fazes.

O Meu Espírito, permeando cada parte do teu ser, expele toda irritabilidade egoísta, ao mesmo tempo que fortifica todas as partes fracas e harmoniza teu ser com a Música do Céu.

Pensar no Céu como um lugar onde entoas louvores a Mim está correto, mas é um entoar com todo o teu ser quando a Minha Alegria vibrante flui através dele.

Tudo Sobre o Altar   24 de setembro

O AMOR absoluto deve decidir todas as tuas ações.
Nada temas. Controla a tempestade.

Compraze-te em fazer a Minha Vontade.

Não somente nos assuntos financeiros; coloca todas as tuas cartas, teu trabalho, tudo, sobre o Meu altar.

Faze de cada dia uma oferenda a Mim para uma resposta às tuas orações e para a salvação do Meu pobre mundo.

Subjuga todo pensamento egoísta, totalmente, completamente.

O Amor que Satisfaz   25 de setembro

MINHAS graças são grandes para todos os que se aproximam de Mim e para todos os que se afastam de Mim.

Com que carinho Eu me preocupo com estes que se distanciam! Com que dedicação sempre procuro salvá-los das aflições que essa mesma recusa de Mim lhes causará.

Eu anseio por salvá-los da fome de solidão que se seguirá por repelirem o único amor que pode satisfazer.

Tempestades Podem Desabar 26 de setembro

VIVE Comigo, e palavras serão desnecessárias. Tu conhecerás a Minha Vontade.

A necessidade real é a tua receptividade.

A receptividade vem com a autodisciplina, que permite o avanço espiritual para uma Vida Superior e numa Vida Superior.

Nesse reino do espírito estás consciente da Minha Vontade. És um Comigo. Com efeito, para conquistar Cristo podes considerar todas as coisas perdidas como um bem.

Eu gostaria que conhecesses a Glória de uma vida guiada e protegida por Deus. Não te agites inutilmente. Tempestades podem desabar, dificuldades podem atormentar, mas tu não serás prejudicado. Seguro, protegido e guiado.

Meu Espírito Lutador   27 de setembro

NÃO existe um tempo em que um homem não possa voltar-se arrependido para Mim e, pedindo Meu perdão, recebê-lo.

Mas existe um tempo em que Eu deixo de ser persistente em estimular Meu seguidor a uma ação.

O ouvido humano pode ouvir um som com tanta frequência até deixar de transmitir um sentido, de ser ouvido com atenção.

Assim acontece com o ouvido do espírito, e a menos que todo desejo e esforço sejam de realizar o Meu plano, Meu servo pode deixar de ouvir, cessar de estar atento ao Meu desejo.

Esse é um risco espiritual sério, e Eu te digo, fica atento e acautela-te contra ele.

Teu Único Caminho   28 de setembro

HÁ uma etapa no desenvolvimento cristão em que o Meu seguidor deve ir além do serviço geral e da conformidade com as regras que estabeleci para Meus discípulos.

Etapa em que ele deve procurar servir de algum modo especial planejado para aquela alma e para o serviço a que aquela alma foi destinada, e que nenhuma outra pode realizar adequadamente.

Pensa, a Salvação do Meu mundo, toda planejada, até os mínimos detalhes, mas essa obra não é realizada com negligência, com falhas, com indiferença.

O Meu caminho para ti não é um caminho de justiça e obediência geral, mas a estrada de verdade projetada para ti, na qual podes ajudar o Meu mundo necessitado da melhor maneira possível.

O Amor Cura 29 de setembro

ESTÁS pedindo para ser usado por Mim para curar, mas pedes o fruto antes que a raiz tenha se firmado e a árvore amadurecido.

Com a eliminação do ego e a obediência à Minha Vontade, teu Poder no mundo do Espírito aumentará naturalmente. Assim seguramente obterás, nesse mundo do Espírito, o controle que outros procuram ter sobre o plano material.

Mas deves renunciar a todo desejo de controle ou reconhecimento nesse plano inferior. Como não podes servir a dois senhores, também não podes operar em dois planos.

O teu Amor deve aumentar permanecendo em Mim. Era o Meu Amor transbordante que curava.

O Futuro Desconhecido   30 de setembro

A MINHA Palavra será uma lâmpada para os teus pés e uma luz para o teu caminho. Nenhuma dificuldade deve te amedrontar. Saberás em todas as coisas o que fazer, mas lembra-te de que a luz deve ir contigo. Ela deve alertar, confortar e animar, não revelar o futuro.

Meus servos não precisam conhecer o futuro. O verdadeiro espírito infantil alegra-se no presente, não tem medos e não pensa além do momento. Assim deves tu viver.

Se Eu, teu Senhor, te acompanho, irradiando Meu esplendor ao teu redor, o futuro deve sempre ser obscuro, porque no que diz respeito à tua aceitação da revelação e ao teu desenvolvimento atual, Eu não estou LÁ.

Mas como o futuro de hoje se torna o presente de amanhã, a mesma luz, Orientação e Poder de operar milagres serão teus. Regozija-te sempre mais.

OUTUBRO

Tem Confiança   1º de outubro

NADA te acontece que não seja resposta às tuas orações; que não seja realização do teu desejo de fazer e ter em tudo a Minha Vontade.

Por isso, vive cada dia sem temor.

Não Há Alegria Maior   2 de outubro

NA TERRA, ou mesmo no Céu, não pode haver alegria maior do que compreender que a Minha Vontade se realiza tanto nas pequenas como nas grandes coisas.

De fato, pode ser a *tua* "carne" quando Eu disse que era *Minha*. Ela é o próprio alimento do corpo, da mente e do espírito, essa Trindade de ser, simbolizada no Pátio Externo do Templo, o Lugar Sagrado, e depois no próprio Santo dos Santos, onde o homem fala com Deus e permanece com Ele.

Não é possível entrar nesse Santo dos Santos sem sacrifício, sem levar uma oferenda do ser físico e mental, e, no Espírito, identificar tudo com aquele Supremo Sacrifício que Eu ofereci para o Meu Mundo.

Companheiro Constante   3 de outubro

Não a nós, Senhor... mas ao Teu Nome seja dada Glória.

MEU nome. Eu SOU. Existente antes de todos os Mundos, imutável por toda a Eternidade, invariável no Tempo.

Tudo o que sempre fui através dos tempos, EU SOU.

Tudo o que sempre desejas que Eu seja para ti — EU SOU.

Num mundo em constante mudança, precisas permanecer em Mim, teu Mestre, o Cristo Jesus de quem foi dito — "O mesmo ontem, hoje, e sempre".

Consequentemente, Quem está contigo hoje é o Senhor da Criação, o Jesus de Nazaré, o Cristo da Cruz, o Salvador Ressuscitado, o Senhor da Ascensão. Podes imaginar companhia melhor para os momentos incertos de um mundo sempre inconstante?

Realidade Esplendorosa   4 de outubro

Jesus, torna-Te para mim
Uma realidade viva, esplendorosa.

APRESENTAR-ME-ÁS, então, como uma realidade viva esplendorosa?

Eu morri para poder viver em ti, Meu Seguidor, e tu Me apresentas ao mundo como um Cristo morto.

"Eu estou eternamente vivo."

Embora possas repetir essas palavras, elas não vibram com Vida, aqui e agora. Elas falam da Minha existência, sim, mas em outra esfera, muito distante desta terra e de suas alegrias e tristezas, de suas conquistas e fadigas.

No entanto, em tudo o que acontece no teu dia a dia, Meu Espírito está ativo em ti e através de ti.

Como o homem pode interpretar tão mal o Meu Ensinamento?

Um Comigo   5 de outubro

UM SÓ com o Deus da Criação.
Um só com o Jesus do Calvário.

Um só com Cristo Ressuscitado.

Um só com Seu Espírito operando em todos os cantos do Universo, energizando, renovando, controlando, todo-poderoso.

Pode o homem pedir mais? Pode o pensamento elevar-se mais?

Busca de Poder   6 de outubro

É LAMENTÁVEL a obstinação do homem em buscar o poder, quando o Poder de Deus, com todas as suas imensas possibilidades, está à disposição dele, bastando para isso que saiba como obtê-lo.

Dizer a esse homem que isso só é possível para quem entrou no Meu Reino do Céu pode despertar sua curiosidade.

Mas dize-lhe que o caminho para esse Reino é um caminho de anulação de si mesmo, de obediência e de amor à Minha Vontade. Dize-lhe que ele deve entrar como uma criança, que somente com o progresso espiritual ele pode alcançar a verdadeira posição do homem, que o treinamento pode ser longo e a disciplina rígida — dize-lhe isto e ele se afastará decepcionado.

Ao afastar-se, porém, ele estará renunciando, totalmente inconsciente, ao prêmio do vencedor, à vida de paz, poder e alegria.

Caminho para o Alto   7 de outubro

SOMENTE Comigo, e na Minha Força, terás Graça e Poder para vencer a fraqueza e o mal que estão em ti. Tua roupa comum está desgastada. Somente aplicando a Minha Salvação ela pode se tornar um traje de casamento, veste apropriada para encontrar o Noivo.

A purificação do traje é a crença em Mim como teu Salvador, teu Redentor. Depois disso, a cada falta e mal em tua natureza deve ser aplicado aquele Poder que erradica o mal, o Poder que só pode advir da confiança em

Minha Força e da vida Comigo, de Me amar e de fazer a Minha Vontade.

A mera crença geral em mim como Redentor e Salvador é insuficiente. Decide-te agora a trilhar firmemente o caminho para o alto, forte em Mim e na força do Meu Poder.

"Senhor, Salva-me" 8 de outubro

EU TE SALVAREI, mas purifica-te.
Purifica-te de tudo o que mancha a pureza da tua alma.

Purifica-te de julgamentos severos.

Purifica-te da desobediência ao Meu Mandamento.

Purifica-te de tudo o que ofende a Minha Justiça, de tudo o que peca contra Meu Amor. Eu te salvarei, mas purifica-te.

Domínio do Desejo 9 de outubro

O OUVIR atento —
Treina o ouvido a ouvir-Me.

O primeiro passo é subjugar os desejos terrenos e querer apenas a Minha Vontade.

O desejo como controle deve ser dominado.

Então se dá o voltar-se interior para falar Comigo.

Então o ouvir atento.

O Exemplo de Pedro 10 de outubro

MEU FILHO, Eu jamais te decepcionarei.
A minha Promessa não depende da *tua* perfeição, mas apenas da tua aceitação da Minha Vontade e do esforço de sempre segui-la.

Para tua felicidade, Eu te dou o Penhor Divino de que embora possas falhar na realização, se não no desejo, *Eu* não posso alegar fraqueza humana, de modo que as *Minhas Promessas devem ser cumpridas.*

Quando escolhi Pedro, vi nele não somente alguém que depois de falhar e negar, se tornaria um Poder para Mim em Minha Força; Eu o escolhi para que outros, fracos e instáveis, pudessem tomar coragem quando se lembrassem do Meu Amor e perdão, e assim progredissem no caminho espiritual.

Tudo Claro 11 de outubro

AMOR é o grande poder de compreender. O amor explica tudo, deixa tudo claro.

Como *podes* Me compreender se não Me amas? Como os homens podem ver os Meus propósitos se não me amam?

O amor é de fato o cumprimento da lei. É também a compreensão da lei.

Quem ama nasceu de Deus, porque entra numa nova vida em Deus que é Amor. Vive nesse Amor.

O amor é que prepara o terreno para o Meu ensinamento, que amolece o coração mais empedernido, que estimula o mais indiferente, que cria anseio pelo Meu Reino.

Por isso, ama. Ama a Mim em primeiro lugar. Depois ama a todos, para que a união seja total.

Olhos do Espírito — 12 de outubro

TENS muito a aprender.

A vida não será longa o suficiente para aprender tudo, mas estás recebendo a Visão do Espírito que substitui os olhos do corpo mortal, quando entras numa vida de compreensão maior com Meu Pai e Comigo.

Botão de Flor — 13 de outubro

APRENDE outra lição dos Dois Devedores...

Uma lição sobre o perdão aos outros ao compreenderes que perdoo pecados cometidos, lições aprendidas lentamente, faltas e defeitos facilmente desculpados, que retardam o teu progresso e trabalham para Mim.

Podes mostrar aos outros a Minha paciência contigo.

Podes também tu dar aos outros livremente enquanto exiges a Minha Liberalidade irrestrita? Medita sobre isso.

Uma história Minha é como um botão de flor. Somente o Sol da anulação de si mesmo e do Progresso do Espírito a faz desabrochar.

Receptividade   14 de outubro

SOMENTE os que estão em contato íntimo Comigo, inspirados pelo Meu Espírito, contaminados pelo Meu Amor, impregnados com a Minha Força, conservam a elasticidade de ser e a receptividade a novas Verdades.

O coração infantil que exigi dos Meus seguidores está sempre pronto a ser renovado, responde sempre a tudo o que está preparado para "a nova criatura em Cristo Jesus".

O Caminho do Senhor   15 de outubro

ANTES da Minha entrada numa vida deve sempre haver um tempo de preparação. Esse é o trabalho daqueles que já Me conhecem.

A preparação pode ser diferente em cada caso. O Batista veio com o seu clamor de arrependimento!

Em muitos casos, uma mão amorosa de ajuda pode ser necessária antes que o terreno esteja preparado para Mim, O Semeador.

Prepara o Meu Caminho: pelo contato amoroso, pelo exemplo estimulante, pela ajuda delicada, pela adesão inabalável à Verdade e à Justiça, pelo autossacrifício pressuroso e por muita oração. Prepara o Caminho do Senhor.

No Mesmo Passo 16 de outubro

ISSO significa esforçar-te para ajustar os teus passos aos Meus. Mas, com a confiança que dá segurança, sabe que Eu sempre adapto os *Meus Passos* à tua fraqueza.

A contenção divina sempre nasce de uma compreensão amorosa. Comigo ao teu lado, há esperança e garantia de que chegará o dia em que Meu passo firme será teu.

"Acompanha-me", diz o mundo, disparando à frente.

Mas há Um Que não conhece pressa frenética. Ele caminha contigo. Não tenhas medo.

Ver Claramente 17 de outubro

ENTÃO verás claramente como tirar o grão de pó do olho do teu irmão. Essa é uma promessa.

Percebes o defeito do outro. Queres ajudar.

Precisas da visão inspirada pelo Espírito para dar essa ajuda. Esta não tem garantia até que toda obstrução seja removida. Obstruções são causadas não pelos pecados de outros, mas pelos teus próprios pecados e imperfeições.

Por isso, olha para dentro de ti mesmo. Procura vencer esses pecados e imperfeições e assim receber a inspiração Espiritual que te capacitará a ajudar o teu irmão. Minhas Promessas são sempre cumpridas.

Graça que Transfigura 18 de outubro

MINHA graça é suficiente para ti, satisfaz plenamente.

Medita sobre essa GRAÇA. Estuda o que as Escrituras dizem sobre ela. Aprende a valorizá-la. Deseja-a como um presente Meu.

Ela pode ser o encantamento que transfigura tudo o que sem ela poderia ser sujo, sombrio ou monótono. Ela é o fermento na massa, o óleo na máquina.

É um presente inestimável. Espera essa bênção com cabeça inclinada e coração reverente. "*A Graça* de nosso Senhor Jesus Cristo."

Um Dador Régio 19 de outubro

TU ME dizes que o teu coração está cheio de gratidão. Eu não quero da tua gratidão mais do que a alegria da amizade. Eu adoro dar, entende isso.

Como dizem as Escrituras, "É grande prazer do vosso Pai dar-vos o Reino". Eu adoro dar. A Natureza Divina é a Natureza de um Dador Régio.

Já pensaste no Meu Prazer quando estás pronto a receber? Quando anseias ouvir as Minhas Palavras e receber as Minhas bênçãos?

Força   20 de outubro

MEU Reino deve ser conquistado pela força, isto é, pelo esforço. Como podes conciliar isto com o Meu presente gratuito da Salvação?

Meu presente é gratuito realmente, e não é a recompensa de nenhum mérito por parte do homem. Mas do mesmo modo que Deus e Mamona não podem ambos assumir o domínio sobre a vida de ninguém, assim o Meu Reino, onde Eu governo como Rei, não pode ser habitado por alguém dominado pelo ego.

Por isso a violência é a da disciplina e da conquista de si mesmo, junto com uma intensa aspiração pelo Meu Reino, e a do esforço incansável para conhecer e cumprir a Minha Vontade.

Absorve o Bem   21 de outubro

A ÚNICA forma de erradicar o mal é absorver o bem. Essa é a Minha história dos sete outros espíritos.

Essa história era para ilustrar a enorme diferença entre a Lei Mosaica e a Minha Lei. Os fariseus e o Irmão Ancião eram observadores da Lei Mosaica.

Tu provaste isto na tua própria vida. Rezar para que possas resistir à tentação e vencer o mal é um ato inútil em si mesmo.

O mal não pode viver na Minha Presença. Vive Comigo. Absorve a Minha Vida, e o mal ficará longe.

Uma Casa Nobre 22 de outubro

SENDO Filho, aprendi a obedecer.
E aprendi a obedecer para ensinar aos Meus seguidores que fidelidade a Mim não significa eximir-se da disciplina.

A casa do teu espírito é erguida tijolo a tijolo — Amor, Obediência, Verdade. Há um plano, e cada ação tua é um tijolo acrescido à construção.

Pensa. Um ato equivocado, um dever negligenciado ou o não cumprimento da Minha Vontade significam não apenas um tijolo a menos, mas também uma construção defeituosa.

Muitas pessoas de bem enveredam assim para vias tortuosas. Constrói agora para a eternidade.

Transmitindo Compreensão   23 de outubro

A Paz de Deus que promove toda compreensão.

ESSA paz enche e envolve a alma que confia em Mim. Ela nasce de uma longa experiência de fé que é toda permeada com a consciência do Amor de um Pai que jamais falha.

Um Pai que provê e protege, não só por causa das Suas obrigações Paternais, mas por causa de um ardente, intenso e incessante Amor, que se regozija em proteger e prover, e que não pode ser negado.

Uma Mensagem Especial   24 de outubro

PARA todo verdadeiro discípulo, a Paz tem um sentido e uma mensagem especiais. Ele ama a paz por associação. Ela foi o presente do seu Senhor dado aos Seus seguidores, transmitido através deles a seguidores de cada geração seguinte. Não é a paz da indiferença, da indolência: *esta* é mera aquiescência.

Não, a Paz que deixei aos Meus é vital e forte. Ela só pode existir no coração daquele que vive Comigo. Ela extrai de Mim aquela Vida Eterna que é Minha, e que torna o Presente sempre cheio de uma beleza inextinguível e repleto de vida na verdade.

Plenitude de Alegria   25 de outubro

EXISTE uma Alegria do Meu Reino que Meus seguidores podem conhecer e que nenhuma sombra do pessimismo do mundo pode ameaçar. Ela resiste a toda tentativa de ser atrofiada pela convenção externa, inanimada.

Com frequência os Meus seguidores não veem como Eu poderia ser pleno de Alegria. Eles Me veem como o JESUS que contemplou a cidade e chorou por ela, Que ficou tocado pelo sofrimento em torno de Mim, e deixam de perceber como Eu poderia Me encher de Alegria com a resposta ao Meu chamado.

Nenhuma sombra da Cruz poderia obscurecer essa Alegria. Eu era como um noivo entre os amigos que ele escolhera para participar das alegrias do seu casamento.

Assim Eu Me recusei a considerar a reprovação implícita dos fariseus. Nós éramos um grupo cheio de desejo de salvar um mundo, nós estávamos cheios de esperança e entusiasmo. Nossos Espíritos não podiam ser comprimidos nas garrafas obsoletas da mera convenção farisaica. Reflete sobre isso e reconhece teu Mestre Que te manda Amar e Rir.

Amor Gratuito   26 de outubro

COMO são humanos, presos à terra, os pensamentos que o homem tem a respeito de Deus! Ele julga a Mim e a Meu Pai segundo seus próprios impulsos e sentimentos frágeis.

Não há no Amor Divino nenhuma obrigação do amado para com quem o ama.

O amor atrai, certamente, e depois deseja servir e expressar amor.

Mas nenhum dever de retribuir Amor.

Mistérios   27 de outubro

EXISTE um único caminho que leva à solução dos mistérios, o caminho da obediência e do Amor.

Mas no Amor perfeito não existe curiosidade, apenas a certeza de que quando o tempo chegar tudo ficará claro. Até então não há desejo de conhecer nada que o Amado não tenha escolhido revelar.

Importa se nenhum mistério se esclarece aqui embaixo? Se tens a Mim, em Mim tens tudo. Continua no Meu Amor.

Ficando Jovem
28 de outubro

NUNCA chegará o tempo em que terás conquistado totalmente teu ego. À medida que subires mais e mais, verás mais e mais claramente os erros e defeitos do teu caráter e da tua vida.

Tudo é como deve ser. Progresso significa juventude. Crescimento impedido significa estagnação. Falta de progresso e fracasso em vencer significa — velhice.

Na Vida Eterna não pode haver velhice. Vida Eterna é Vida Jovem, Vida plena e abundante. "E esta é a Vida Eterna, onde podem conhecer a Ti, o único Deus Verdadeiro, e a JESUS Cristo, a Quem enviaste."

Pequenas Dificuldades
29 de outubro

O SEGREDO do verdadeiro discipulado é o serviço nas pequenas coisas. Os Meus raramente entendem isso.

Eles estão prontos a morrer por mim, mas não vivem para Mim em todos os pequenos detalhes desta vida.

Não é essa a atitude dos homens, muito frequente, com relação àqueles que eles amam no mundo? Eles estão sempre prontos a fazer os grandes sacrifícios, mas não os pequenos.

Resguarda-te disso no serviço a Mim. Padece pequenas tribulações com alegria, domina pequenos impulsos de orgulho, pequenos egoísmos e pequenas dificuldades. Serve-Me nas pequenas coisas. Sê meu servo nos pequenos detalhes.

Repousa no Meu Amor — 30 de outubro

ENFATIZO novamente que o serviço dos Meus seguidores deve ser sempre um serviço de Amor, não de dever. As tentações podem superar facilmente uma resolução baseada no medo, no dever, mas contra o Amor a tentação não tem poder. Vive no Meu Espírito, repousa no Meu Amor.

Lembra-te, se recorres a Mim para tudo, se confias em Mim em tudo, e Eu não atendo a todos os teus pedidos, não penses que seja necessariamente algum pecado ou fraqueza a impedir que a Minha Ajuda chegue a ti e através de ti.

Em alguns casos, isso pode acontecer, mas também pode ser apenas Minha Mão contida posta sobre ti como um sussurro, "Repousa, recolhe-te Comigo. Afasta-te e descansa um pouco".

Livre do Excesso — 31 de outubro

INSISTO novamente contigo: somente enquanto és canal Eu torno teu suprimento abundante e constante.

Se guardas tudo o que precisas e tens intenção de dar o excedente a Mim e aos Meus, não haverá excesso. Eu prometi suprir a tua necessidade, e assim quando ficas desprovido, Eu reponho a perda. Procura compreender essa Verdade em toda sua plenitude.

NOVEMBRO

Alegria em Novembro   1º de novembro

Estas coisas eu vos disse... para que vossa Alegria seja completa.

A CARACTERÍSTICA de um verdadeiro seguidor Meu é a Alegria.

Não uma satisfação superficial com os acontecimentos da vida, algo que reflete do exterior, mas um manancial que jorra do interior daquela felicidade que só pode brotar de um coração sereno, seguro de sua amizade Comigo.

A alegria, profunda e serena, atrai os homens a Mim.

Muitos que Me chamam Senhor exteriorizam um Cristo taciturno, e então se espantam que o mundo se volte de preferência para as pompas e glórias dos prazeres mundanos.

Com efeito, assim agindo, Meus seguidores Me negam. Eu sou um Cristo Glorificado. Um Cristo de Vitória Triunfante.

Estoque de Riquezas 2 de novembro

A RIQUEZA armazenada do Espírito de Jesus Cristo. A distribuição dessa riqueza do Espírito.

O Suprimento do Espírito de Jesus Cristo.

Este, Meu Espírito, deve ser absorvido, não em situações de emergência, mas nos momentos de tranquilidade, para que desse estoque toda ajuda e força sejam extraídas.

O erro que os Meus seguidores cometem seguidamente é esperar que esse suprimento esteja disponível num momento de necessidade, quando então recorrem a Mim; deviam ter feito isso antes, quando, em toda sua plenitude, Meu Espírito teria se tornado parte deles.

O Meu Espírito não é só um Espírito de Resgate. Ele é também Construtor e Força, fazendo do Meu seguidor o soldado vigoroso pronto para a emergência ou forte para evitá-la, como a necessidade do Meu Reino pode exigir.

Nas Alturas 3 de novembro

A LUZ do sol nas Colinas de Deus inflama os homens a procurar as Alturas divinas.

Abandona os preconceitos e medos do vale e sobe Comigo as colinas ensolaradas. No início da caminhada Eu te guiarei suavemente, muito suavemente; depois, à medida que acumulares força, deixaremos, juntos, as encostas com vegetação e começaremos a escalar Alturas escarpadas, onde novas paisagens enchem os olhos e onde posso revelar-te os Segredos dessas Alturas.

A vida reserva mais possibilidades maravilhosas do que podes imaginar, e sempre, mais e mais, à medida que prosseguires, outras possibilidades se apresentarão.

A Vida Bela   **4 de novembro**

A Maravilha de uma vida Contigo, amado Senhor.

NO REINO do Espírito as Verdades se revelam com a mesma pujança de cores variegadas com que a Natureza manifesta suas belezas.

Experiências, Orientação, Revelação da Verdade; tudo isso, por assim dizer, é o cintilar de gloriosas harmonias coloridas para tua visão interior, provocando uma intensa alegria, um estremecimento de êxtase que nenhuma língua mortal consegue descrever.

Essa alegria não é um vislumbre superficial de beleza, mas fortalece e conforta. Ela fornece o próprio altar sobre o qual a tua vida se entrega em sacrifício a Mim, e de onde tuas preces se elevam.

Vinho de Vida   5 de novembro

Eles não têm mais vinho.

ALGO está faltando no banquete da vida.
Eu só posso fornecer aquele maravilhoso elemento de Vida que o mundo não tem. É Minha a Alegria, a centelha que posso dar.

A ti cabe sentir a privação, a ausência de alma. Cabe a ti dizer — "Eles não têm mais vinho".

"Fazei tudo o que ele vos disser."

Tua tarefa é encher os cântaros com água.

Teu Jardim da Vida   6 de novembro

PENSA em Mim esta noite como o Grande Jardineiro, que cuida e zela por ti como um jardineiro se ocupa do seu jardim.

Podando aqui, protegendo da geada ali, plantando, transplantando. Semeando a semente desta ou daquela verdade, adubando-a com terra fértil, enviando Minha chuva e sol para ajudá-la a se desenvolver, observando-a carinhosamente enquanto ela responde ao Meu cuidado.

Amorosamente ansioso diante da primeira brotação. Cheio de alegria à vista do botão e da beleza da flor. A semente e o fruto dos Seus canteiros.

O Grande Jardineiro. Deixa-me dividir contigo o cuidado do teu jardim da vida.

Oportunidades Perdidas   7 de novembro

PENSA no perpetrador de um grande mal no mundo ou em tua própria vida. Depois lembra que um simples ato de obediência a Mim, por parte de alguém que tivesse cruzado com ele, poderia ter-lhe mostrado e corrigido seu erro antes que o mal o dominasse.

A origem de muitos pecados cometidos, de muitas situações danosas, pode estar na desobediência de alguém que já no passado distante dizia-se Meu servidor.

Lembra-te disso ao dirigir-te àqueles que Me julgam pelo mal que acreditam que Eu permito no mundo. Tu mesmo, agora, não fiques no passado, mas permanece mais Comigo, para que no futuro pecados não sejam cometidos por atos ou omissões.

Tua Linha da Vida   8 de novembro

PENSA na forte linha da vida de Fé e Poder. Eu te disse que essa é a tua linha de resgate.

Ela significa comunicação constante entre nós.

Tu rezas pedindo Fé. Eu te dou Fé. Isso te permite testar o Poder que Eu dou, pois tua Fé retorna a Mim com força sempre maior. Meu Poder e a tua Fé em constante intercâmbio. Um chamando o outro, um dependendo do outro, até que a *Minha Fé* em *ti* se justifica de fato pelo Poder que exerces.

O Coração Ardente　　　　　　　　　9 de novembro

PENSA no Caminho de Emaús, pensa no banquete da Revelação que se seguiu, na Amizade compreensiva que resultou. Muita coisa Eu, seu Senhor, seu Senhor Ressuscitado, expliquei aos Meus dois discípulos ao longo do caminho. Muita coisa que lhes era misteriosa se tornou clara à medida que prosseguíamos.

No entanto, só Me tornei conhecido como seu Mestre ao revelar-Me no Partir do Pão. Ao falarem de Mim mais tarde, eles disseram, "Não ardia o nosso coração quando Ele nos falava pelo caminho?"

Assim, não te aborreças se tudo o que Eu posso ser para ti ainda não te é revelado. Caminha Comigo, fala Comigo, convida-Me a ser teu hóspede, e deixa que Eu escolha o momento de revelar-me. Eu quero que cada dia seja uma caminhada Comigo.

Não sentes, neste mesmo instante, o teu coração arder dentro de ti, como que com o ardor da antecipação?

Descanso para os Cansados   10 de novembro

ESSE cansaço deve ser um estímulo a aquietar-te, uma criança cansada, e a descansar no Meu Amor. Permanece *ali*, até que esse Amor permeie de tal modo o teu ser que sejas sustentado por ele; assim fortalecido, levanta-te.

Até sentires essa força, mantém-te inativo, consciente da Minha Presença. Teu trabalho é grande; deves renovar-te e só retomá-lo depois de períodos de repouso.

A atividade no plano do Espírito é tão grande, tão maravilhosa, que com exceção dos tempos de descanso e oração obrigatórios, serias impelido a uma atividade emocional no plano físico que prejudicaria os Meus objetivos.

A Paz de Deus   11 de novembro

A PAZ de Deus tem maior profundidade do que todo conhecimento dos mais sábios da terra. Nesse reino sereno do Espírito, onde habitam todos os que são controlados por *Meu* Espírito, todos os segredos podem ser revelados, todas as Verdades Ocultas do Reino podem ser expostas e aprendidas.

Vive ali, e a *Verdade* mais profunda do que qualquer *conhecimento* te será revelada.

Suas linhas se espalharam por toda a terra — assim viaja a influência, estendendo-se sempre mais, daqueles que vivem perto de Mim.

Reserva tempo para ficar Comigo. Considera todas as coisas como pura perda, para que possas ter a Mim.

Música Celestial   **12 de novembro**

GLORIFICAR-ME é refletir, no louvor, o Meu caráter em tua vida. Elevar-te com asas como águia, sempre mais alto, para pairar nas alturas sempre mais perto de Mim.

Louvar-Me é cantar, deixar que teu coração palpite. Glorificar-Me é expressar exatamente a mesma coisa, mas através de todo o teu ser, de toda a tua vida. Quando digo, "Alegra-te, alegra-te", estou te ensinando a expressar isso em toda tua natureza.

Essa é a Música Celestial, a Minha glorificação, através de uma vida santificada e de um coração devotado de Amor.

Estrada Solitária   **13 de novembro**

PARA MIM, cada um dos Meus filhos é um indivíduo com várias características e várias necessidades. Para cada um e para todos, o caminho até os planos superiores deve ser uma estrada solitária no que diz respeito à ajuda e compreensão humanas.

Ninguém pode sentir as mesmas necessidades e desejos, ou explicar o eu interior do mesmo modo. É por isso que o homem precisa da Companhia Divina. A Companhia que, só ela, pode compreender cada coração e necessidade.

A Alegria é Tua   14 de novembro

O FUTURO não é problema teu, é Meu. O passado tu o entregaste a Mim, e não tens direito de permanecer nele.

Somente o presente é a Minha dádiva para ti, e dela somente cada dia que se apresenta. Mas se enches esse dia com tristezas, ressentimentos e falhas passadas, e também com possíveis ansiedades dos anos que podem restar-te aqui — que cérebro e espírito poderiam suportar esse peso?

Não foi para isso que prometi o Meu Espírito, Consolo e Ajuda.

Dividindo Comigo   15 de novembro

AS DIFICULDADES e provações da vida não te treinam e ensinam tanto quanto te treinam e ensinam os momentos em que te recolhes para ficar sozinho Comigo.

Dificuldades e provações por si sós não têm propriedades medicinais, não têm valor espiritual.

Esse valor só é alcançado pelo contato Comigo. Alegria dividida Comigo, ou tristezas e dificuldades divididas Comigo, ambas podem se revelar de grande valor espiritual, mas que é alcançado *dividindo Comigo*. Divide tudo Comigo.

Lembra-te de que na verdadeira amizade o dividir é mútuo, de modo que quando divides Comigo, Eu divido contigo em medidas sempre maiores — Meu Amor, Minha Graça, Minha Alegria, Meus Segredos, Meu Poder. Minhas Múltiplas Bênçãos.

Todos São Dignos 16 de novembro

TRATA a todos como tratas aqueles com quem te preocupas.

Visita os pobres, os doentes e os presos, sabendo que vejo essa ação como se fosse praticada a Mim.

Quero agora que avances ainda mais no caminho do Meu Reino. Entra em contato com os muitos que não são pobres nem estão doentes nem presos.

Talvez eles sejam contra Mim. Eles podem desprezar muitas coisas que consideras valiosas, podem parecer não precisar da tua ajuda. Podes tratar também a esses como tratarias a Mim? Eles podem ter necessidades maiores do que aqueles que desejas ajudar.

Para ti os objetivos deles podem parecer indignos, a busca que fazem pode contrariar-te. Quando Eu disse, "Não julgueis", Eu não estava incluindo também a eles?

Podes limitar as Minhas palavras para adaptá-las às tuas inclinações?

Não é tarefa fácil esta que te atribuo, mas o teu caminho é o Caminho da Obediência. Eu não sugeri aos Meus seguidores um caminho que pudessem tomar ou não a seu próprio arbítrio. O Meu "Não julgueis" era imperativo, um novo *mandamento* que lhes dei, o de amar.

Para aqueles que ainda não Me chamam de Senhor, o Amor é o único ímã que os atrairá a Mim.

Sê verdadeiro, sê forte, sê amoroso.

União com Deus   17 de novembro

RELIGIÃO verdadeira é aquela que une a alma a Deus. A forma de devoção que menos une a alma a Deus é a oração suplicante.

Ela é necessária, muito necessária, mas em geral não une verdadeiramente. A Meditação e a Comunhão são infinitamente mais eficazes.

A meditação é a linha do homem lançada para fora. Ela liga a alma a Deus. A Comunhão é a linha de Deus lançada para fora. Ela puxa e liga a alma a Ele.

Alegria e Coragem   18 de novembro

CONFIA em Mim. Mais do que confiar, alegra-te em Mim. Se confias realmente, não podes deixar de te alegrar. Como te revela essa confiança, o prodígio do Meu Cuidado, Proteção e Provisão é de uma beleza tão transcendente que todo o teu coração *deve* cantar de Alegria.

É essa Alegria que irá renovar, e renova, a tua juventude. A fonte da tua Alegria e Coragem.

Eu ainda não sabia bem o que estava recomendando quando disse, "Ama e Ri". Mas a tua atitude deve ser correta, não apenas Comigo, mas com os que te cercam.

Exame Minucioso   19 de novembro

EXPELE do teu ser tudo o que se rebela contra o Meu poder. Seja essa tua única lei.

Examina habitualmente teus atos e motivos. Os que praticas por autoestima ou por autopiedade — condena-os.

Disciplina-te implacavelmente e não deixes que o ego assuma o controle. Teu objetivo é expulsá-lo, e servir e seguir somente a Mim.

Expectativa Atenta   20 de novembro

ESPERA diante de Mim, em antecipação silenciosa e humilde. Espera em obediência total e singela. Espera como um servo antecipando as ordens e desejos do seu senhor.

Espera como um amante ansioso para perceber o primeiro sinal de uma necessidade e para apressar-se a atendê-la. Espera Minhas ordens e comandos. Espera a Minha Orientação, a Minha Provisão.

Bem, na verdade, que possas encontrar satisfação numa vida assim. Pode uma vida ser maçante e melancólica quando há sempre essa expectativa atenta, sempre essa antecipação de surpresa agradável, sempre o prodígio de realização, a Alegria de provisão?

Alegra-te no Senhor — 21 de novembro

ESPERA diante de Mim com uma canção de louvor em teu coração. Canta para Mim um cântico novo. Sempre haverá algo em cada dia pelo que agradecer-Me.

Considera cada pequeno acontecimento como uma revelação do Meu Amor e solicitude por ti. O louvor tem o poder de lavar a amargura da vida. Alegra-te no Senhor.

Regozija-te sempre. Grande é o "Muito Obrigado" do coração. Aprendendo a agradecer-Me sempre mais, cada vez mais Me verás nos pequenos acontecimentos e encontrarás mais motivos para exultar. Louvor e agradecimento preservam a juventude.

Olhar do Amante 22 de novembro

MUITO poucos Me *servem*.
Muitos rezam, invocando-Me.

Muitos chegam à Minha Presença cheios de necessidades e aflições, mas poucos esperam a calma e a força que o contato Comigo lhes propiciaria.

Olha para Mim e sê salvo. Mas o olhar não deve ser um relance apressado. O olhar para Minha face deve ser como o olhar do amante que contempla a Amada.

Quando Incompreendido 23 de novembro

ESPERA em Mim.
Espera até que a Minha força preencha o teu ser e tu deixes de ser fraco, insignificante, "incompreendido".

Põe-te acima de todo aborrecimento relacionado com o modo como outros te julgam. Deixa-me explicar o que quero de ti e de tuas ações.

Procurarias seguir um Cristo que tivesse perdido Seu poder de Deus em explicações fúteis?

Assim acontece contigo. Deixa-Me defender-te e ser teu Advogado, ou confia em Meu silêncio nisto como em tudo o mais.

Calma Eterna — 24 de novembro

LEMBRA-TE de que vives na Eternidade, não no tempo.

Não te apresses em fazer isto ou aquilo.

Segue-se daí que a Eternidade te pertence, para cada tarefa.

Muito frequentemente, e infelizmente, a pressa impotente retardou, não acelerou, a obra do Meu Reino.

Vive mais tranquilamente, banhado na calma da Eternidade. Sente essa calma antes de sair da Minha Presença.

Nada de pressa frenética para fazer a Minha Vontade. Deves prosseguir na Grande Calma de Deus.

Deus não teve pressa com Seu Plano Criador. Não sentes a Força da Calma que está por trás da obra de Deus na Natureza? Descansa e sabe.

Pastagens Verdejantes — 25 de novembro

CAMINHA nas Minhas Pastagens. O olho descansará e o espírito se recuperará pelo seu verdejante frescor. O ouvido se acalmará e encantará com o som das Minhas Águas de Conforto.

Nenhuma pedra impedirá o teu progresso.

A névoa suave que tudo permeia falará de mistérios não revelados, enquanto a maravilha da vida sobre ti dirá do Meu Poder sempre ativo, criador e protetor, e ficarás repleto de um contentamento que se fundirá num anseio estranho de unidade em espírito Comigo.

Então — saberás que estou ali.

Obediência Total 26 de novembro

ANDA no Meu Caminho.
O Meu Caminho é o do *fazer*, não só do *aceitar*, a Vontade do Pai.

Submeter-te a essa Vontade, por mais feliz que seja o modo como o faças, não é suficiente.

Teu trabalho e influência para Mim ficam atrapalhados se a tua vida não é de total obediência. "Pela obediência de um, muitos se tornarão justos."

Onde estaria a tua salvação se eu tivesse hesitado e vacilado na MINHA missão?

Foi pela obediência da Minha vida terrena que Eu salvei e assim deve ser contigo.

Espírito de Aventura 27 de novembro

O CAMINHO foi tentado, cada passo foi planejado tendo em vista o teu progresso. Nunca avalies o teu trabalho pelo que outros possam realizar, ou pelo que eles deixam de fazer. Cabe a ti realizar a tarefa que atribuí a *ti*. Prossegue na Minha Força e no Espírito de Aventura.

Alturas jamais sonhadas podem ser alcançadas desse modo. Nunca questiones a tua capacidade. Coube a Mim decidir sobre isso. Nenhum Líder experiente atribuiria a um seguidor uma tarefa além das suas forças. Confia em Mim, teu Líder.

O Mundo teria sido conquistado para Mim antes disso se os Meus seguidores tivessem sido corajosos, inspirados por sua fé em Mim. Não é humildade hesitar em fazer a grande obra que determino. É falta de fé em Mim.

Esperar para sentir-se forte é covardia. Minha força é fornecida para a tarefa, mas Eu não a forneço no período de hesitação antes de começares.

Grande parte da Minha Obra deixa de ser feita por falta de fé. Repetidamente poder-se-ia dizer:

"Ele deixou de realizar muitos prodígios por causa da descrença dos Seus seguidores".

Alerta e Ativo   28 de novembro

CAMINHA muito cuidadosamente na vida. É uma coisa maravilhosa ser conhecido como alguém que Me ama e procura seguir-Me, mas é também uma responsabilidade muito grande.

Quando não és guiado por Mim, muitas coisas que fazes podem ser consideradas indignas, e a crítica recair sobre os Meus seguidores e a Minha Igreja.

De agora em diante, não existem momentos em tua vida em que podes ficar livre de grande responsabilidade. Não te esqueças disso. Meus soldados estão sempre em serviço ativo.

Milagres que Não Fiz   29 de novembro

EU andei sobre as Águas e alimentei as multidões — muita ênfase foi dada a esses milagres. Aos olhos do Céu, porém, essas ações tiveram pouca importância.

A Natureza era Minha serva, a criação do Pai; e o Pai e Eu somos um. Sobre ela e sobre o mundo material Eu tinha controle total. Meus atos eram naturais, espontâneos, não exigindo premeditação, além da escolha de um momento apropriado para sua realização.

O Meu verdadeiro prodígio foi feito no coração dos homens, porque lá Eu estava limitado pelo presente do livre-arbítrio do Pai ao homem. Eu não podia dar ordens ao homem como podia às ondas. Eu estava sujeito às limitações que o Pai havia estabelecido. Nenhum homem deve ser coagido a entrar no Meu Reino.

Pensa em tudo o que essa restrição Me custou. Eu poderia ter forçado o mundo a aceitar-Me, mas então eu teria rompido a fé com toda a humanidade.

Hasteia a Bandeira ###### 30 de novembro

DESFRALDASTE na tua vida e na tua casa a bandeira da Minha Realeza. Mantém essa bandeira tremulando.

Depressão, desobediência e falta de fé são a bandeira do Meu Reino a meio mastro.

Aberta e livre, acima do nevoeiro e do fumo da terra, *mantém a Minha bandeira flutuando nas alturas.*

"O Rei está lá, eles servem ao Rei", são palavras que devem estar nos lábios e no coração de todos os que a veem. Os que te conhecem devem também juntar-se aos que hasteiam a Minha Bandeira.

DEZEMBRO

A Tarefa Seguinte   1º de dezembro

QUANDO queres que tua oração seja atendida, quando tens grandes necessidades e pedes grandes coisas, o passo a dar é muito claro:

Dedica-te à tarefa seguinte, realizando-a com a maior perfeição possível... e assim sucessivamente. Procedendo desse modo, lembra-te da Minha Promessa.

Sê fiel nas pequenas coisas, que eu te farei senhor sobre as grandes.

Tempos de Aprendizado   2 de dezembro

NA REALIZAÇÃO da tarefa simples e na temperança de que te revestes ao executá-la, e não na busca frenética da resposta para tuas preces por coisas grandes — talvez aprendas a única coisa necessária antes que Eu atenda os teus pedidos.

Comigo, e obedecendo à Minha Vontade, assim te tornaste merecedor dessa resposta.

Esses são tempos de aprendizado, mais do que tempos de provação.

Fé Confirmada 3 de dezembro

"**Q**UEM dizem os homens que Eu sou?" Essa é a primeira pergunta que faço a cada homem. A Minha Proposta e a interpretação que o mundo faz da Minha Missão e da sua realização devem ser matéria de reflexão.

Em seguida, a segunda pergunta, de cuja resposta depende o futuro do homem. Aqui abandonamos o reino da mente. A convicção deve ser do coração. "Quem *tu* dizes que Eu sou?"

"Tu és o Cristo, o Filho do Deus Vivo", foi a resposta de Simão. Então, e só então, foi possível, sem desrespeitar o direito do livre-arbítrio humano, acrescentar a essa profissão de fé a confirmação do Meu Pai, "Este é o Meu Filho Amado".

Eu vivi a Minha Vida naturalmente, como um homem entre homens. Mas sempre com o Anseio de que aqueles que Eu escolhera tivessem olhos para ver, fé para penetrar no Mistério da Encarnação e ver a Mim, o Deus revelado.

A fé de uma convicção pessoal está sempre alicerçada na promessa do Meu Pai. É ela que torna inabalável a fé dos Meus verdadeiros seguidores.

Recolhimento 4 de dezembro

NÃO é entre a multidão que duas pessoas que se amam aprendem a conhecer e a valorizar uma à outra. É nos momentos de recolhimento silencioso.

Assim acontece com os Meus e Comigo. É quando estão a sós, nos momentos de quietude, que eles aprendem tudo o que posso ensinar.

Esquece o mundo e todos seus insistentes clamores. Então, sentindo o poder, a paz e a alegria que te invadem, desejarás ardentemente ficar a sós Comigo.

Realização Perfeita 5 de dezembro

ACEITA as Minhas exigências.
Obedece à Minha Vontade, que é a Vontade de Deus, pois o Meu ALIMENTO foi sempre fazer a Vontade Daquele que Me enviou. Obedecendo a essa Vontade, fazendo-a tua, tudo o que desejares *deve* ser concedido.

Essa Vontade é criativa, assegura realização perfeita, e sendo de Deus (Uno e indivisível), garante tudo o que é de Deus — Amor, Paz, Alegria, Poder, na medida em que cada uma das Suas criaturas pode absorvê-los.

Um Cântico Novo   6 de dezembro

ESTÁS sendo conduzido. Cruzaste o Mar Vermelho. Tua travessia do deserto está quase terminando. Vê que Eu faço novas todas as coisas.

Um novo nascimento, um novo coração, uma nova vida, um novo cântico.

Que esse tempo seja para ti um tempo de renovação.

Livra-te de tudo o que está morto. Vive verdadeiramente a Vida Ressuscitada. Em mente e espírito livra-te de tudo o que agride.

Serviço Secreto   7 de dezembro

ÉS abençoado, muito abençoado. Nunca esqueças que tens o Meu Amor e Proteção. Nenhum Tesouro do mundo consegue simbolizar o que isso significa.

Nunca esqueças também que és guiado. Cada palavra, cada letra, cada encontro é planejado e abençoado por Deus. Sente isso apenas, reconhece isso.

Não estás extraviado nem desprotegido. Pertences ao Serviço Secreto do Céu. Tens privilégios e proteção ao longo de todo o Caminho.

Não Fosse a Minha Graça   8 de dezembro

TU ÉS Meu. Meu para controlar, conduzir, cuidar. Confia em Mim para tudo.

Ao pensar nos outros e ao entrar em contato com eles, seja qual for o pecado que tenham cometido, compreende que serias igual a eles não fosse a Minha proteção, não fosse Meu generoso perdão.

Lembra-te também de que o Meu Mandamento "Não julgar" foi tão explícito quanto "Não matarás", "Não cometerás adultério". Obedece-me em tudo.

Poder para Ajudar — 9 de dezembro

O TEU poder de ajudar os outros não depende tanto do que dizes, mas da tua disposição em deixar que a Minha Influência flua através de ti.

Invoca o Poder do Meu Pai em favor daqueles a quem desejas ajudar.

Vive na consciência da Minha Presença, e os teus pensamentos de Amor, ansiedade e solicitude liberarão uma torrente de Poder para salvar.

Falhas Bem-Sucedidas — 10 de dezembro

AFLIGES-TE porque falhaste Comigo. Foi por causa das falhas que pendi da Cruz do Calvário. Foi com uma falha que primeiro Me deparei no Jardim da Páscoa.

Para uma das falhas foi que confiei a Minha Igreja, os Meus Cordeiros, as Minhas Ovelhas.

Para alguém que se opusera a Mim e Me desprezara, que havia torturado e assassinado Meus seguidores, foi que deleguei a Minha grande Missão entre os Gentios.

Mas cada uma delas precisou antes aprender a conhecer-Me como Salvador e Senhor, e ficar com a consciência atormentada por não ter correspondido às Minhas expectativas.

Para trabalhar para Mim, precisas estar pronto para o vale da humilhação pelo qual todos os Meus seguidores devem passar.

A Ajuda Está Aqui 11 de dezembro

RECEBESTE a orientação de terminar toda oração com uma nota de louvor. Essa nota não é apenas a fé que surge das dificuldades para homenagear-Me. É mais do que isso.

É o eco no âmago do som nascido nas ondas do Espírito — da Ajuda no caminho. Ele é dado aos que amam e confiam em Mim para sentir essa aproximação. Por isso, regozija-te porque verdadeiramente tua redenção está próxima.

Prova-Me Agora 12 de dezembro

PRECISAS provar-Me. Vir a Mim andando sobre as águas. Sem garantias, acostumado que estás à terra sob teus pés. Mas lembra-te de que Aquele a Quem te diriges é Filho de Deus e Filho do Homem.

Ele conhece as tuas necessidades. Ele sabe que os mortais têm dificuldade de aprender a viver sempre mais uma vida que não seja a dos sentidos. Quando Eu digo "Vem", não estou pedindo nada impossível.

Vendo as ondas, Pedro teve medo.

Não olhes para as ondas. Fixa teus olhos em Mim, e controlarás qualquer tempestade. O que importa não é o que acontece, mas onde teu olhar está fixo.

O Caminho Estreito · 13 de dezembro

SE QUERES realizar Minhas Bênçãos, deves obedecer à Minha Vontade sem hesitar. É reto e estreito o caminho que conduz ao Reino.

Se o homem se desvia para seguir sua própria vontade, ele pode tomar trilhas secundárias onde Meus frutos do Espírito não crescem, onde Minhas bênçãos não são derramadas.

Desejas ardentemente ajudar um mundo cujos sofrimentos corroem tua própria alma. Não compreendes que estou respondendo às tuas orações?

Nem sempre o mundo recebe ajuda de alguém que percorre um caminho ensolarado e ladeado de flores. Sofrimento paciente e provações suportadas com bravura demonstram aos homens uma coragem que só a Ajuda Divina pode sustentar.

Cantos de Regozijo　　　　　　14 de dezembro

REZA por todos aqueles que acreditas que vais encontrar. Reza para que se tornem mais corajosos, melhores e mais felizes por te verem e falarem contigo.

A vida é perigosa — que nada te afaste do desejo de servir e ajudar. Nos momentos de oração mais fervorosa e de serviço, toma consciência de tudo o que és capaz de fazer, e então reflete — se o teu desejo fosse sempre tão intenso, o que não conseguirias realizar?

Regozija-te em Mim. A Alegria do Senhor deve efetivamente ser tua força. Se queres servir, deves abrir espaço e esperar até que a Alegria inunde todo teu ser.

Que a Alegria mantenha o teu coração e mente elevados, acima das preocupações e cuidados. Se queres que as muralhas da cidade venham abaixo, deves andar ao seu redor entoando cantos de regozijo.

Excesso de Alegria　　　　　　15 de dezembro

TUA vida é cheia de Alegria. Agora compreendes que embora Eu fosse o Homem das Dores em Minha Experiência profunda da vida, o convívio Comigo significa um excesso de Alegria que nada mais pode proporcionar.

A idade pode ter suas limitações físicas, mas, com o contentamento da alma em viver à parte Comigo, a idade não tem poder para limitar a vibração do Amor, o êxtase da Vida que dá Alegria.

Reflete essa Alegria para que seja vista pelas almas cansadas da vida, pelas almas que chegam aos seus limites sozinhas e tristes quando já não conseguem realizar muitas atividades. Com esse reflexo elas terão um vislumbre das Alegrias que a Vida Eterna proporciona aqui e agora e oferece depois para aqueles que Me conhecem e Me amam.

Por isso, regozija-te.

Deleites Variados — 16 de dezembro

POBRE verdadeiramente é a vida que não conhece as riquezas do Reino. Uma vida que precisa depender da estimulação dos sentidos, que desconhece e não consegue compreender que deleite, Alegria, expectativa, prodígio e satisfação só podem ser de fato obtidos no Espírito.

Vive para levar os homens à compreensão de tudo o que eles podem encontrar em Mim. Eu, Que não mudo, posso preencher a alma do homem com Alegrias e deleites de tal forma variados que podem produzir cenas de beleza sempre diferentes diante dele.

Eu sou efetivamente o mesmo, ontem, hoje e sempre; mas o homem, mudando à medida que se aproxima da compreensão de tudo o que Eu posso significar para ele, vê em Mim novas maravilhas diariamente. Não faltará aventura feliz numa vida vivida Comigo.

Visão de Delícias   17 de dezembro

LOUVOR. Reza até louvar. Essa é a recomendação que te foi dada com relação ao término de toda oração. Essas maravilhas, essas verdadeiras maravilhas estão aqui.

Não tenhas medo. Vive no Meu Amor. Aproxima-te sempre mais de Mim. Eu te ensinarei. Tu verás.

Antes de poder passar para a Visão das Delícias, tiveste de aprender as Verdades fundamentais da honestidade, integridade, ordem e perseverança. Tudo está muito bem. Não temas.

Olhar Atento em Mim   18 de dezembro

REZA sempre com o olhar atento em Mim, teu Mestre, teu Dador, teu Exemplo. "Como os olhos dos servos estão nas mãos do seu mestre, assim estão os nossos olhos no Senhor nosso Deus."

Mantém sempre teus olhos em Mim. De Mim procede tua ajuda, teu tudo. O servo olha pedindo apoio, salário, tudo. Para ele, a vida está nas mãos do seu senhor.

Do mesmo modo, olha para Mim para tudo que necessitas. Atento, com um olhar de fé e entrega absoluta que atrai tudo o que precisas. Não apenas fé, mas consideração atenta. Deves ver o que recebes, para então poder dar.

Prática Espiritual   19 de dezembro

REZA sem cessar até que cada pensamento e cada desejo seja uma oração. Isso só pode acontecer seguindo o plano de lembrança que te defini.

Raramente Meus seguidores compreendem que a Prática Espiritual é tão necessária quanto qualquer outra para tornar-se perfeito numa arte ou profissão.

É persistindo nos pequenos passos de prática que chegarás à Realização Espiritual.

Endireita Seus Caminhos   20 de dezembro

PREPARA o caminho do Senhor, endireita Seu caminho. Não deves fazer isso antes de Sua Vinda? Não deves alegrar-te em preparar um caminho para Mim, para que Eu possa percorrê-lo quando assim o desejar?

Essa é a minha orientação e tarefa para ti, de preparação silenciosa e sem aplausos.

Preparação para o Meu trabalho, não para o teu.
Teus pés calçados com o Evangelho da Paz.
Sim, a preparação deve ser feita antes em teu próprio coração. Se ele está inquieto, nada te fará estar bem calçado.

Adora-O   21 de dezembro

DEMONSTRA tua adoração na tua vida. Tudo deve ser calmo e alegre. Calma e alegria são as expressões externas da adoração.

Adoração é o extravasamento de todo o ser em louvor-exaltação de Amor a Mim.

Se adorasses verdadeiramente, toda a tua vida estaria em harmonia com essa adoração, expressando o máximo possível, em todas as suas variadas manifestações, a Beleza do Senhor a Quem adoras.

Todos os Amores de Lado   22 de dezembro

UM SILÊNCIO se fez sobre a terra na Minha primeira vinda. Nas horas tranquilas da noite Eu cheguei. Um silêncio quebrado apenas pela canção de louvor dos anjos.

Assim, penetra essa quietude na agitação e tumulto do dia do mundo. Uma quietude tão absoluta que o passo leve do teu Mestre não possa passar despercebido. Esquece os golpes da vida e suas condições adversas, para que possas estar sempre sensível ao toque da Minha Mão sobre a tua testa.

Por algum tempo, põe de lado os amores da terra e tuas amizades humanas para que as vibrações do coração do Eterno possam inflamar teu coração e fortalecer tua vida.

Atento à Interrupção 23 de dezembro

EU FUI preparar um lugar para ti, mas ainda preciso da Minha Casa em Betânia e da Minha Sala no andar superior. Estas só podem ser preparadas por corações amorosos.

Depois de preparada a tua casa, a Minha Casa, deves estar pronto a receber toda pessoa que Eu possa enviar. Fica atento a qualquer interrupção. Trata-a como feita por Mim.

Não conheces o dia nem a hora em que teu Senhor irá aparecer. Não conheces o disfarce que Ele irá usar, se de um príncipe ou de um mendigo.

Vê no indesejado o teu Senhor muito desejado.

Véspera de Natal   **24 de dezembro**

"UMA virgem conceberá e dará à luz um filho, e seu nome será Emanuel."

"Um menino nos nasceu, um filho nos foi dado... e por seu nome será chamado Prodigioso, Conselheiro, Deus Poderoso... o Príncipe da Paz."

"O anjo anunciou, 'Não temas, Maria... Eis que conceberás no teu seio e darás à luz um filho, e tu o chamarás com o nome de Jesus...'"

"O Espírito Santo virá sobre ti e o poder do Altíssimo vai te cobrir com a sua sombra; por isso, o Santo que nascerá de ti será chamado Filho de Deus."

Milagre dos Tempos   **25 de dezembro**

"E O VERBO se fez carne."
Verbo vindo do Pai, o pensamento.

Fica esta noite com este milagre de todos os tempos. Este fato estupendo de toda a história da humanidade:

Deus feito homem.

Eu vim para devolver ao homem sua dignidade perdida. Para mostrar-lhe que o seu ser físico e mental só podia ser mantido na altura e no poder pretendidos através da constante comunhão com o Criador do ser do homem.

Eu vim, Deus, para viver com o homem, para *mostrar ao homem como viver com Deus*.

Repouso Perfeito 26 de dezembro

MINHA Perfeição não poderia ser lugar de repouso para almas fatigadas. Descansa em Meu Amor. Não existe outro repouso verdadeiro senão este.

Grande parte do cansaço da terra é causado pelo pecado. O contato com a Minha Perfeição só faria teu pecado parecer ainda maior. Com efeito, ver a Minha Perfeição poderia estimular-te a realizar mais esforços, a imitar-Me mais, mas haveria descanso? — Não. E assim com outros atributos da Divindade.

Mas no Meu Amor! nele *podes* descansar. Aconchegado como uma criança cansada; cansada, mas feliz. Aconchegado em segurança, acomodado em um Amor incansável e ilimitado. Em um Amor que não só cuidará dos cansados e repousará os fatigados, mas fará descansar também a ti, até que na própria força do Amor possas enfrentar tua vida novamente.

Repousa no Meu Amor. Só aqui encontras o Repouso Perfeito. Repouso para o Espírito, a mente e o corpo.

Quando o Mal Sorri 27 de dezembro

LEMBRA que as forças do mal estão sempre alinhadas contra ti. Elas conhecem o poder em que podes te transformar como canal para o Poder de Deus.

Eu precisei derrotá-las no deserto antes que a *Minha* Vida de Cura e Auxílio pudesse ser todo-poderosa.

O mal procura a ruína dos Meus amigos, não através de grandes quedas, mas nos pequenos tropeços. A tua Montanha da Transfiguração só pode acontecer depois da tua vitória no deserto. Tentações diante das quais toda tua natureza tremeria não são tentações para ti.

Cuidado com a face sorridente do mal, sua inocência aparente, sua mão oferecida como amizade. Anda pelo caminho que Eu percorri.

Procura-Me Sempre   28 de dezembro

EU FALO suavemente para os cansados e os aflitos; no entanto, Minha Voz serena contém cura e força.

Uma cura para as dores e doenças do espírito, da mente e do corpo, e uma força vivificante que impele os que vêm a Mim a levantar-se e a lutar por Mim e por Meu Reino.

Procura até encontrar a *Mim*, e não apenas a Verdade sobre Mim. Ninguém nunca Me procurou em vão.

Salvo Finalmente   29 de dezembro

ILESO em meio às tormentas, sereno em meio à agitação do mundo, seguro em meio à insegurança. A salvo ao longo do ano inteiro.

O único caminho seguro é o da Orientação Divina. Não o conselho de outros, não os impulsos do teu coração e da tua vontade. Apenas a Minha Orientação.

Pensa mais nessa maravilha. Permanece mais nela. Estás fora de perigo, seguro.

Sensível a Mim — 30 de dezembro

EU ENSINO em silêncio, e esse ensinamento silencioso depende da tua proximidade.

Deixa que cada disciplina, cada alegria, cada dificuldade, cada interesse novo sirva para aproximar-te, para tornar-te mais receptivo à Minha palavra, para tornar-te mais sensível, mais perceptivo espiritualmente.

Essa sensibilidade é o prelúdio à alegria que Eu te dou. A harmonia mais suave pode ser tocada num instrumento sensível.

Os que deixam de ouvir pensam que estou distante. Estou sempre pronto a falar, mas eles perderam o poder da disciplina, o prodígio da Comunhão Comigo.

Véspera de Ano Novo — 31 de dezembro

TRAZE-ME nesta noite o ano que passou, com seus pecados, seus fracassos, suas oportunidades perdidas.

Deixa esse passado Comigo, teu Salvador hoje e sempre, e entra no Ano Novo perdoado, sem cargas, livre.

Traze-Me tua juventude ou velhice, teus poderes, teu amor — e Eu, como teu Deus-guia ao longo do ano que vai começar, trarei Minha eternidade, Meus poderes, Meu amor.

Assim compartilharemos os fardos, as alegrias e o trabalho dos dias futuros.

TODAS AS BÊNÇÃOS PARA O NOVO ANO